Dossiers et Documents

Du même auteur

Dictionnaire mondial des opérations de paix : 1948-2016, Athéna éditions, 2016.

Consolidation de la paix et fragilité étatique : L'ONU en République centrafricaine, Les Presses de l'Université de Montréal, 2015.

Dictionnaire mondial des opérations de paix : 1948-2013, Athéna éditions, 2013.

Dictionnaire mondial des opérations de paix : 1948-2011, Athéna éditions, 2011.

La paix par la force ? : pour une approche réaliste du maintien de la paix robuste, Athéna éditions, 2011.

L'agression : les États-Unis, l'Irak et le monde, Athéna éditions, 2004.

Soldiers of Diplomacy: the United Nations, Peacekeeping, and the New World Order, University of Toronto Press, 1998.

Les Casques bleus, Fides, 1994.

La dernière croisade : la guerre du golfe et le rôle caché du Canada, Éditions du Méridien, 1992.

En première ligne : grandeurs et misères du système militaire canadien, Le Jour, 1991.

Un selfie avec Justin Trudeau

Regard critique
sur la diplomatie du premier ministre

Projet dirigé par Éric St-Pierre, adjoint à l'édition

Conception graphique : Nathalie Caron
Mise en pages : Pige communication
Révision linguistique : Sophie Sainte-Marie et Chantale Landry
Illustration en couverture : © Serge Chapleau

Québec Amérique
7240, rue Saint-Hubert
Montréal (Québec) Canada H2R 2N1
Téléphone : 514 499-3000, télécopieur : 514 499-3010

Nous reconnaissons l'aide financière du gouvernement du Canada par l'entremise du Fonds du livre du Canada pour nos activités d'édition.

Nous remercions le Conseil des arts du Canada de son soutien. L'an dernier, le Conseil a investi 157 millions de dollars pour mettre de l'art dans la vie des Canadiennes et des Canadiens de tout le pays.

Nous tenons également à remercier la SODEC pour son appui financier. Gouvernement du Québec – Programme de crédit d'impôt pour l'édition de livres – Gestion SODEC.

Catalogage avant publication de Bibliothèque et Archives nationales du Québec et Bibliothèque et Archives Canada

Coulon, Jocelyn, auteur
Un selfie avec Justin Trudeau : regard critique sur la diplomatie du premier ministre / Jocelyn Coulon.
(Dossiers et documents)
ISBN 978-2-7644-3602-8 (Version imprimée)
ISBN 978-2-7644-3607-3 (PDF)
ISBN 978-2-7644-3608-0 (ePub)
1. Trudeau, Justin, 1971-. 2. Canada - Relations extérieures - 21ᵉ siècle. 3. Canada - Politique et gouvernement - 2015-. 4. Diplomatie. I. Titre. II. Collection : Dossiers et documents (Éditions Québec Amérique).
FC655.C68 2018   971.07'4   C2018-940289-X

Dépôt légal, Bibliothèque et Archives nationales du Québec, 2018
Dépôt légal, Bibliothèque et Archives du Canada, 2018

Imprimé au Canada

JOCELYN COULON

Un selfie avec Justin Trudeau

Regard critique
sur la diplomatie du premier ministre

QuébecAmérique

*À Elaine Potvin,
amie et collaboratrice*

Introduction

La vie moderne tend à nous épargner l'effort
intellectuel comme elle fait de l'effort physique.
Elle remplace, par exemple,
l'imagination par les images [...].
Elle nous offre toutes les facilités,
tous les moyens courts d'arriver au but
sans avoir fait le chemin.

Paul Valéry, poète et philosophe français

Ce livre traite d'un homme, Justin Trudeau, et de l'idée qu'il se fait du Canada sur la scène internationale. Cet homme était célèbre avant même de devenir premier ministre. Il était un nom, au Canada comme à l'étranger. Son élection un soir d'octobre 2015 a suscité des échos à l'échelle planétaire. On a immédiatement beaucoup espéré de lui et du pays qu'il s'apprêtait à diriger.

Pendant la campagne électorale, Trudeau a promis de redonner au Canada toute sa place dans les affaires mondiales et, ainsi, de rompre avec dix ans d'une politique conservatrice perçue comme une période d'isolement et de grande noirceur. « Le Canada est de retour » était le slogan de campagne des libéraux pour la politique étrangère. Il mettait la barre haut, et pour de bonnes raisons. Depuis la fin de la Seconde Guerre mondiale, le Canada s'est taillé une réputation enviable dans le monde. Ses dirigeants et diplomates ont largement contribué à la création du système international tel qu'on le connaît aujourd'hui. Le Canada est l'un des pays fondateurs de l'ONU et de l'OTAN, dans lesquelles il a beaucoup investi. On ne compte plus les initiatives canadiennes appuyées par la communauté internationale, dont la création des Casques bleus est l'illustration la plus spectaculaire. Le Canada est facteur de paix tout en sachant manier le glaive lorsque les responsabilités internationales le demandent.

De ce Canada, les conservateurs n'ont retenu qu'un aspect lors de leur passage au pouvoir : l'usage de la force. En une décennie, le Casque bleu a laissé place au casque d'acier. Toutes les enquêtes d'opinion l'ont révélé, les Canadiens n'appréciaient pas cette orientation.

Trudeau en avait conscience. Il souhaitait rétablir l'équilibre et a offert aux électeurs une ambitieuse plateforme électorale où ses propositions en politique étrangère étaient un savant dosage de tradition et d'innovation. Le réengagement envers l'ONU, la participation aux missions des Casques bleus, l'approfondissement des relations économiques et militaires avec les États-Unis restaient les piliers de cette politique. Ses propositions sur l'accueil des réfugiés et des migrants, le combat contre le réchauffement climatique, la lutte au terrorisme, l'augmentation de l'aide aux pays en développement, la protection des femmes et des filles dans les conflits, la diversification de l'économie canadienne vers les marchés émergents représentaient les autres termes de la réponse aux politiques conservatrices.

Plus de deux ans après l'élection des libéraux, un premier bilan s'impose. Indéniablement, on a bien accueilli l'arrivée de

Trudeau au pouvoir un peu partout dans le monde. Là où il passe, il laisse une impression de dynamisme, d'ouverture et d'écoute. Sa rhétorique sur la diversité, la tolérance, l'accueil représente une véritable bouffée d'air frais à une époque où les discours de haine et de xénophobie ébranlent les sociétés et favorisent l'émergence de forces populistes. Ses appels au multilatéralisme et au libre commerce contrastent avec la montée du repli sur soi et du protectionnisme. Pourtant, quels gestes viennent appuyer ce discours ? L'ambitieux programme autour du retour du Canada sur la scène internationale se concrétise-t-il ?

Si on en juge par la direction empruntée par le gouvernement Trudeau depuis son arrivée au pouvoir, il y a loin de la coupe aux lèvres. Sur plusieurs aspects de son programme de politique étrangère, les décisions s'éloignent à ce point des intentions originelles que le résultat ne crée pas une rupture avec l'ancien gouvernement conservateur, mais bien une continuité. Et, actuellement, aucune initiative internationale ne porte le sceau du premier ministre. « Le Canada est de retour » risque de se révéler ce qu'il était : un slogan.

Que se passe-t-il ? Pourquoi dresser un tel constat ?

C'est à ces questions que je tente de répondre dans ce livre. J'assume une part de responsabilité dans ce qui se joue à Ottawa depuis l'élection des libéraux en 2015. J'ai été tout à la fois acteur et témoin de l'élaboration, puis de la mise en œuvre de la politique étrangère du premier ministre. Avant la campagne électorale, Trudeau avait créé un Conseil consultatif sur les affaires internationales auquel je m'étais joint et dont les membres se réunissaient autour de lui de mai 2014 à mai 2015. Au sein de ce conseil, j'ai contribué à définir les orientations du Parti libéral sur le maintien de la paix, l'Afrique, le multilatéralisme et les interventions militaires. Lorsque les libéraux ont accédé au pouvoir, je me suis joint au cabinet du ministre des Affaires étrangères, Stéphane Dion, en février 2016, à titre de conseiller politique et, jusqu'à son congédiement un an plus tard, j'ai travaillé avec lui sur les mêmes sujets.

Ce livre est donc un témoignage de l'intérieur. J'explique et je décris l'enchaînement des analyses et des décisions, leur logique, si tant est qu'il y en ait une. Les discussions au sein du Conseil consultatif, les notes prises au jour le jour, les documents et les discours, les entretiens que j'ai menés après mon départ et ma connaissance de l'histoire de la politique étrangère canadienne constituent les matériaux principaux de cet ouvrage. Ce témoignage restitue au plus près la trajectoire de la diplomatie du gouvernement Trudeau. Il ne prétend pas à l'exhaustivité. Il est nécessairement partiel – j'aborde les dossiers importants ou que je connais le mieux – et partial.

Dans la première partie de l'ouvrage, je retrace l'itinéraire intellectuel du futur premier ministre. La relation qu'il entretient avec son père, l'ambiguïté qu'il affiche par rapport à ses choix scolaires et l'effort intellectuel, les leçons qu'il tire de ses voyages à l'étranger, et le chemin qu'il emprunte sur les plans professionnel et politique sont la matière de cette exploration. On y découvre le portrait d'un homme incurieux des affaires du monde, qui l'intéressaient peu ou pas avant son élection à la tête du Parti libéral.

Les deux autres parties de l'ouvrage couvrent l'exercice du pouvoir depuis l'élection de 2015 avec un accent particulier mis sur les dossiers que j'ai traités pendant mon passage au sein du cabinet du ministre Dion. J'y décris un premier ministre arrivé au pouvoir sans expérience internationale ni conception claire de sa politique étrangère. Il est actif et résolu quant à la Chine et à l'accueil des réfugiés et des migrants, mais indécis et désorienté quant à la plupart des autres dossiers. Il cède aux groupes de pression, au détriment de l'intérêt national qui demande de développer une vision stratégique afin d'agir à long terme. Les sondages et les médias exercent sur lui plus d'influence que les avis de ses ambassadeurs et diplomates. Enfin, j'y révèle un Trudeau incapable d'établir une relation de travail avec Dion, au point de brutalement le congédier sans raison sérieuse.

Trudeau a une conception particulière du pouvoir. Il adore le contact physique avec les gens où, écrit-il dans son autobiographie *Terrain d'entente*, il apprend sur leurs désirs et leurs aspirations. Cette médaille a un revers. Il passe peu de temps à potasser les dossiers, à s'imprégner du fond des choses. Il règne plus qu'il ne gouverne.

Il adore aussi l'image qu'il projette dans le monde grâce aux *selfies* auxquels il se prête et aux entrevues qu'il accorde aux médias plus mondains comme les magazines *Paris Match* ou *Vogue*. Ce sont des médias, dit-il, indispensables « à la bonne gouvernance démocratique[1] ».

Le premier ministre n'a pas tort. Il est important de communiquer. Encore faut-il ne pas confondre les idées avec les images. À force d'être prisonnier des images, on finit par oublier les idées. En politique étrangère comme en politique intérieure.

Jocelyn Coulon
Février 2018

---

1. Bruce Cheadle, « Trudeau says image-making part of governing, not a popularity contest », *The Canadian Press*, 17 décembre 2015.

Première partie

Itinéraire intellectuel

Chapitre un

La naissance d'un politicien

La politique étrangère s'invite de plain-pied dans la campagne électorale fédérale de 2015. En effet, les chefs des trois grandes formations – Justin Trudeau pour le Parti libéral, Stephen Harper pour le Parti conservateur et Thomas Mulcair pour le Nouveau Parti démocratique – acceptent de tenir un débat télévisé entièrement consacré à la politique étrangère. C'est la première fois dans l'histoire politique canadienne qu'un tel événement se déroule. Aux élections de 1988, la politique étrangère était présente, mais sous l'angle économique en raison du vif débat sur l'Accord de libre-échange entre le Canada et les États-Unis (ALENA).

Cette fois, les sujets ne manquent pas. Depuis une quinzaine d'années, des crises et des phénomènes, souvent récents, comme les changements climatiques, le terrorisme islamiste ou l'émergence de nouvelles puissances dans le monde, remettent en cause l'ordre international établi depuis 1945 et inquiètent l'opinion publique. Ces phénomènes soulèvent des questions, mais les hommes et les femmes politiques ont peu de réponses immédiates et encore moins de solutions à offrir. Tout est trop fluide, tout bouge trop vite. Pourtant, il faut parler des affaires internationales, esquisser des pistes de réflexion, tenir compte des angoisses, d'autant plus que le Canada n'est pas à l'abri de la fureur du monde. Les 20 et 22 octobre 2014, un an presque jour pour jour avant le débat, deux terroristes canadiens se réclamant de la mouvance islamiste abattent des militaires à Saint-Jean-sur-Richelieu et à Ottawa. Le terroriste d'Ottawa parvient même à s'introduire dans le Parlement fédéral où il cherche à tuer des employés et des élus. Les attentats secouent profondément le grand public et la classe politique.

Le débat télévisé sur la politique étrangère a lieu dans ce contexte le 28 septembre 2015 au Munk School of Global Affairs de l'Université de Toronto. Les trois chefs y croisent le fer pendant deux heures et répondent à dix questions devant un public souvent très partisan. Le débat est vif et parfois confus, comme cela arrive lorsque plusieurs chefs politiques s'engagent dans une joute verbale. Qui gagne? Qui perd? Les avis se partagent selon l'affiliation politique de celui ou celle qui en parle. Pour autant, Justin Trudeau s'en tire plutôt bien. Cette performance n'est pas le fruit du hasard, car rien, ni dans son éducation ni dans son parcours jusqu'à son élection comme chef du Parti libéral en 2013, ne démontre le moindre intérêt pour les affaires internationales. Elle est plutôt le résultat des efforts concertés de ses conseillers pour l'éduquer sur ces questions. J'en reparle plus en détail dans le prochain chapitre.

• • •

Justin Trudeau n'est pas le fils d'un père ordinaire. Juriste de formation, intellectuel libéral, un des fondateurs de la revue *Cité libre*, Pierre Elliott Trudeau est aussi un *playboy* et un bon vivant. Il évite la conscription pendant la Seconde Guerre mondiale et, après le conflit, fait un tour du monde. Il se rend en Chine, qu'il visite à vélo. Il y retourne en 1960 avec son ami, le futur sénateur Jacques Hébert. Les deux hommes tirent de cette expérience un livre, *Deux innocents en Chine rouge*, qui fait sensation[2].

De retour au Canada, Trudeau se lance en politique fédérale. En 1967, il devient ministre de la Justice dans le gouvernement de Lester B. Pearson. Son intelligence, sa répartie, son éloquence font de lui un redoutable orateur. Il domine les débats, et ses adversaires le craignent. Trudeau arrive à un moment particulier de l'histoire. Un vent de changement et de contestation secoue l'Occident. Il le comprend rapidement et propose une première mesure qui fera date : il fait amender le Code criminel afin de légaliser l'avortement et l'homosexualité. Sur le plan personnel, il impose son style, tant vestimentaire que comportemental. Il s'habille avec élégance, porte une rose à la boutonnière, fréquente des stars de cinéma, défie les règles du protocole. C'est la naissance de la trudeaumanie. Un an après son entrée au cabinet, il devient chef du Parti libéral et premier ministre. Il déclenche alors des élections et obtient en juin 1968 une majorité écrasante. Au début de 1971, il épouse Margaret Sinclair, avec qui il a trois fils : Justin, Alexandre et Michel.

Trudeau père accède au pouvoir avec une bonne connaissance du monde. Cet intérêt est dû au fait qu'il a beaucoup voyagé dans sa jeunesse. En plus de son livre sur la Chine, on lui doit, dès 1951, un texte sur la guerre de Corée, un sur la dépendance économique du Canada envers les États-Unis, sans compter un autre sur la notion de guerre. Tous ces textes sont publiés dans la revue *Cité libre*. En 1963, dans un dernier texte de politique étrangère, il s'en prend à Pearson et à sa décision de permettre

---

2. Jacques Hébert et Pierre Elliott Trudeau, *Deux innocents en Chine rouge*, Les Éditions de l'Homme, 2007.

d'accueillir au Canada des armes nucléaires américaines[3]. Il refuse même d'être candidat libéral pour cette raison. Après deux ans de brouille, il se réconcilie avec le parti et est élu député libéral en 1965.

Dès ses débuts comme premier ministre, il lance un chantier : revoir complètement la politique étrangère et de défense du Canada pour la dégager de l'emprise des rigidités de la guerre froide[4]. Le monde a changé depuis la fin de la Seconde Guerre mondiale et le début de la guerre froide en 1948. Pour le nouveau premier ministre, il est devenu multipolaire, et le fossé Nord-Sud lui semble un danger plus important que la rivalité Est-Ouest, en passe de disparaître grâce à l'atténuation des tensions induite par la politique de détente.

Trudeau exige de son gouvernement de tout remettre à plat, même l'appartenance à l'OTAN. Il suggère de réfléchir à une position de neutralité. Pour lui, la politique étrangère et de défense du Canada est depuis trop longtemps imposée de l'exté-rieur, par des engagements incompatibles avec la sécurité ou les intérêts directs du pays. Il rêve d'une politique définie uniquement en fonction de l'intérêt national. La révision de la politique étrangère et de défense doit aussi se pencher sur la grande dépendance économique du Canada envers les États-Unis, qui a pour effet de peser sur les choix d'Ottawa. Pour desserrer l'étreinte américaine, Trudeau cherche une voie menant à une plus grande diversification commerciale avec l'Asie, l'Europe et

---

3. Pierre Elliott Trudeau, « Pearson ou l'abdication de l'esprit », *Cité libre*, avril 1963.
4. Jack L. Granatstein et Robert Bothwell, *Pirouette. Pierre Trudeau and Canadian Foreign Policy*, University of Toronto Press, 1990, p. 3-35.

l'Amérique latine, et à un renforcement des contrôles sur certains secteurs de l'économie canadienne aux mains de firmes étrangères[5].

Ce « rebrassage » des cartes aboutit à la publication d'un document d'orientation sur la diplomatie canadienne et du *Livre blanc* sur la défense. Le premier document, *Politique étrangère au service des Canadiens*, préconise une diplomatie centrée sur le développement économique du Canada et sur la défense des intérêts nationaux, et place les activités de maintien de la paix et de médiation internationale au second plan. Le *Livre blanc* sur la défense, lui, annonce une réduction de moitié des troupes canadiennes stationnées en Europe et met l'accent sur la défense du territoire national et de l'Amérique du Nord. La nouvelle politique suscite une vive réaction chez nul autre que Pearson, architecte du multilatéralisme canadien. Il l'estime « passive » et craint qu'elle ne mène au « désengagement » de la scène internationale[6].

Si la nouvelle politique plaît à certains nationalistes canadiens, elle manque de réalisme. Elle fait peu de cas des réalités géographiques (par exemple, notre voisin immédiat, les États-Unis) et structurelles (notre intégration économique et militaire avec les États-Unis et les pays occidentaux) propres au Canada. Ainsi, les États-Unis font régulièrement savoir leur mécontentement relativement aux décisions économiques trop nationalistes et aux initiatives de politique étrangère qui apparaissent souvent comme antiaméricaines.

---

5. Kim Richard Nossal, Stéphane Roussel et Stéphane Paquin, *Politique internationale et défense au Canada et au Québec*, Les Presses de l'Université de Montréal, 2007, p. 77.

6. Jack L. Granatstein et Robert Bothwell, *op. cit.*, p. 34.

Trudeau en prend acte. Peu à peu, son gouvernement met au rancart ses deux énoncés de politique. Il ne conteste plus l'appartenance à l'OTAN et récupère «graduellement plusieurs éléments de l'internationalisme pearsonien[7]». Par exemple, à la fin de son mandat en 1983-1984, Trudeau lance une initiative de paix internationale au moment où les relations entre les États-Unis et l'Union soviétique se dégradent rapidement. Il entreprend une tournée mondiale afin de promouvoir le désarmement nucléaire et de réduire les tensions Est-Ouest. Il se montre toutefois incapable de desserrer l'étreinte économique et militaire des États-Unis. Il autorise même l'essai de missiles de croisière en terrain canadien. De plus, la dépendance commerciale envers le géant du sud augmente sous son règne, et sa nouvelle politique énergétique est l'objet d'une vive résistance de la part des provinces centrales et de Washington.

Au bout du compte, la nouvelle politique étrangère et de défense du gouvernement Trudeau échoue. Selon deux historiens canadiens, le premier ministre en porte la responsabilité. Il «manifestait peu d'intérêt véritable et à long terme envers la politique étrangère, écrivent-ils. Lorsqu'il a pris le pouvoir en 1968, il connaissait mieux le monde que la plupart des dirigeants, mais à la manière d'un voyageur, pas d'un connaisseur de la politique. Son intérêt pour les questions de défense était, en 1968 tout comme en 1984, inexistant; ses préoccupations en matière d'affaires étrangères étaient éclectiques, voire inconstantes[8]». Ce jugement, sévère, est, d'une certaine façon, compréhensible, puisque les affaires constitutionnelles et le combat contre les indépendantistes québécois accaparent toute son

---

7. Kim Richard Nossal, Stéphane Roussel et Stéphane Paquin, *op. cit.*, p. 298.
8. Jack L. Granatstein et Robert Bothwell, *op. cit.*, p. XIII (notre traduction).

énergie. Il n'a tout simplement pas le temps de se concentrer sur la politique étrangère et de défense comme l'a fait Pearson auparavant.

Toutefois, au cours de ses années au pouvoir, Trudeau fait deux gestes qui, avec le recul, exerceront certainement une influence sur son fils Justin. En octobre 1970, le Canada devient un des rares pays occidentaux, avec la France et le Royaume-Uni, à établir des relations diplomatiques avec la Chine communiste. Dans le contexte de l'époque, le geste ne manque pas d'audace et intervient deux ans avant la visite du président américain Richard Nixon en Chine.

Quelques années plus tard, en 1976, Trudeau est un des premiers chefs de gouvernement occidentaux à se rendre en visite d'État à Cuba. À cette occasion, il provoque la controverse en s'écriant: «¡ *Viva Cuba!* ¡ *Viva Castro!*» Vingt-quatre ans plus tard, Fidel Castro est le seul chef d'État à assister aux funérailles de Trudeau à Montréal et à rencontrer Justin Trudeau. En 2016, le jeune Trudeau, devenu premier ministre, va rapidement en Chine et à Cuba, et ne ménage pas ses compliments envers les deux régimes en place. Il livre même un vibrant hommage à Fidel Castro lors de son décès, suscitant de très nombreuses critiques.

• • •

Justin Trudeau sait qu'il est l'héritier d'un nom. Dans son autobiographie, *Terrain d'entente*, publiée en 2014, il en ressent tout le poids. Il rappelle d'ailleurs qu'à certaines occasions il glisse «rapidement sur [son] nom de famille» pour éviter de troubler inutilement les gens[9].

---

9.   Justin Trudeau, *Terrain d'entente*, Éditions La Presse, 2014, p. 106.

Malgré ses seize années au pouvoir, Pierre Elliott Trudeau reste une personnalité impopulaire à divers moments et dans une région ou une autre du pays. Dès 1972, le Parti libéral voit sa popularité s'effondrer dans les quatre provinces de l'Ouest où il n'obtient que sept sièges sur les soixante-huit qui les représentent à la Chambre des communes. En 1979, au moment où il perd le pouvoir aux mains d'un gouvernement conservateur minoritaire, le Parti libéral ne compte plus que trois sièges dans l'Ouest. Cette situation s'explique : les Canadiens de cette partie du pays se sentent de plus en plus marginalisés par le pouvoir à Ottawa, détenu depuis toujours par les élus du Québec et de l'Ontario. De plus, ils voient d'un très mauvais œil la politique de bilinguisme et surtout la politique énergétique que le premier ministre leur impose. Pour eux, le gouvernement fédéral ponctionne leurs richesses énergétiques pour les redistribuer aux provinces pauvres, essentiellement le Québec et les Maritimes.

Le Québec, lui, aime ou déteste le premier ministre. À chaque élection, il remporte une écrasante majorité dans sa province natale, au point où, en 1980, il rafle soixante-quatorze des soixante-quinze sièges. Mais une bonne partie de l'élite intellectuelle et politique le déteste, et pas seulement chez les indépendantistes. On l'accuse d'être un politicien centralisateur et, pire encore, de travailler contre les intérêts du Québec.

Dans son autobiographie, Justin Trudeau évoque à peine la réputation controversée de son père à travers le Canada. Ce n'est pas ce qui le dérange dans son rapport avec lui. À la lumière de ce qu'il en dit dans son livre, c'est sa stature intellectuelle qui l'intimide. À plusieurs reprises, il revient sur cet aspect de sa relation avec son paternel. Ainsi, lorsqu'il évoque ses études au collège Brébeuf ou à l'Université McGill, il avoue être le contraire de son père. Il «manque de constance sur le plan scolaire[10]», écrit-il. Il échoue «presque intentionnellement» à son cours de psychologie expérimentale, un test clé qui ouvre le chemin de la Faculté de droit de McGill, parce qu'il refuse de suivre le même parcours que son père[11]. Il qualifie ce geste d'«acte de sabotage [...], une façon de m'obliger, et d'obliger mon père, à accepter le fait que je n'aurais jamais des résultats scolaires aussi exceptionnels que les siens[12]». Malgré tout, cette question l'obsède. Il écrit plusieurs pages afin de démontrer qu'il est intelligent, mais d'une façon différente de celle de son père.

À défaut du droit, il opte pour des études en littérature anglaise. Lorsqu'il obtient son baccalauréat à 22 ans, l'ombre du père se manifeste de nouveau. Au cours d'un voyage en France, il réfléchit à sa situation et ne peut s'empêcher d'établir un parallèle entre lui-même et ce que son père a accompli à cet âge. Il souffre de l'écart intellectuel. Il se cherche une identité, et la seule façon d'y arriver est de rompre intellectuellement avec son père. «Je m'étais déjà éloigné de la voie qu'il avait suivie, écrit Justin Trudeau, et mon introspection m'avait confirmé que je n'allais pas devenir ce grand intellectuel participant à la vie publique ni suivre le même chemin sinueux qui avait été le sien[13].» Il ne se voit ni juriste ni politicien. Il veut être enseignant, une façon pour lui «de me libérer de ma famille et de notre passé[14]».

---

10. *Ibid.*, p. 97.
11. *Ibid.*, p. 97.
12. *Ibid.*, p. 99.
13. *Ibid.*, p. 123.
14. *Ibid.*, p. 123.

La suite est connue. Il imite le père et devient politicien. Mais avant d'en arriver là, il veut, encore comme son père après ses études, faire le tour du monde. C'est sa première véritable incursion dans les affaires internationales.

. . .

Avant que Trudeau entreprenne son périple, que sait-il du monde ? Il l'appréhende à travers les voyages qu'il effectue dans de nombreux pays en compagnie de son père. Son contact avec cette réalité se réduit souvent aux avions, aux voitures de fonction et aux hôtels. Il rencontre surtout des chefs d'État et observe son père interagir avec ces personnalités. Il en tire une conclusion un peu hâtive : « les rapports interpersonnels sont d'une importance vitale dans les relations internationales[15] », écrit-il. Sa réflexion s'arrête là. Il n'évoque pas la dure réalité des intérêts nationaux qui font dire à tous ceux qui exercent le pouvoir que les États n'ont pas d'amis, ils n'ont que des intérêts. Exactement ce que pense Jean Chrétien lorsqu'il décrit sa première rencontre avec George W. Bush. Malgré leurs désaccords sur bien des sujets, le président « s'était rendu compte que je n'allais pas lui causer […] de difficultés », écrit-il. Mais, « de toute manière, les relations canado-américaines étaient plus importantes que les rapports personnels que nous pouvions avoir[16] ».

Avec ce grand voyage autour du monde, Trudeau s'offre l'occasion de passer presque une année à sillonner l'Europe, l'Afrique et l'Asie, afin de se familiariser avec les coutumes et cultures d'une quinzaine de pays et de mieux comprendre les questions politiques et sociales qui secouent la planète.

---

15. *Ibid.*, p. 31.
16. Jean Chrétien, *Passion politique*, Éditions du Boréal, 2007, p. 321.

En septembre 1994, accompagné d'amis du collège Brébeuf et de quelques autres personnes, il part. Si ce voyage est un moment marquant pour lui, il en rapporte peu de souvenirs. Dans son autobiographie, publiée vingt ans plus tard, il consacre cinq pages sur les trois cent quatre-vingt-quatre de l'ouvrage à ce périple autour du monde. Le résultat est une série de lieux communs : la maladie que Trudeau attrape en Mauritanie « après avoir mangé des restes de salade de thon », la visite d'un village au Mali où on lui montre un arbre « sous lequel, il n'y a pas si longtemps, on sacrifiait des enfants dans le cadre de cérémonies religieuses », la découverte d'« un palais présidentiel avec des douves remplies de crocodiles » – dans un pays dont le nom n'est pas cité (Côte d'Ivoire) –, le globe terrestre qu'on lui tatoue sur l'épaule gauche en Thaïlande[17].

En une ligne, il raconte son exploration de Shanghai, Hong Kong, Hanoï et Bangkok. Il ne prend pas la peine d'ajouter quelques éléments sur l'histoire et l'évolution de ces sociétés. Ses descriptions renforcent plutôt les préjugés du lecteur envers l'étranger, particulièrement envers l'Afrique. Tout au plus pose-t-il un constat rapide, sans mise en contexte et très discutable : partout où il passe, écrit-il, les sociétés se départagent entre une population locale « majoritaire » et « les autres », tenus pour « une exception à la normalité, à l'identité nationale[18] ». Et il en dégage une théorie générale sur les bienfaits de la diversité. Ce voyage, écrit-il, « m'a mené [...] à la conclusion assez évidente que les communautés où les gens sont ouverts à la différence, aux autres, sont plus heureuses et plus dynamiques que celles qui sont plus bornées et fermées[19] ». Pour lui, la seule

---

17. Justin Trudeau, *op. cit.*, p. 124-126.
18. *Ibid.*, p. 128.
19. *Ibid.*, p. 127.

communauté qui correspond à cette description est installée au Canada. «Nous avons su créer une identité nationale basée sur des valeurs communes comme l'ouverture, le respect, la compassion, la justice et l'égalité[20]», écrit-il.

C'est vrai, le Canada est une terre de tolérance où la majorité s'interdit d'imposer une définition stricte de l'identité. Mais Trudeau ne songe pas à rappeler que, dans un passé assez récent, le Canada était loin d'être le paradis qu'il décrit. Le sort des autochtones et le traitement réservé aux Canadiens d'origine japonaise pendant la Seconde Guerre mondiale restent des taches dans l'histoire nationale. Et la défense des droits de la personne par le pays n'a pas toujours été si enthousiaste. La mythologie nationale fait du Canada un leader de la promotion des droits de la personne. Pourtant, en 1948, il a été le seul pays en dehors du bloc communiste à s'abstenir lors d'un vote sur l'ébauche finale de la Déclaration universelle des droits de l'homme avant son dépôt devant l'Assemblée générale des Nations Unies[21]. Certains décideurs à Ottawa estimaient alors que la liberté d'expression, de religion et d'association n'avait pas sa place dans la déclaration. Le Canada a fini par voter en faveur sous la pression des délégations… américaine et britannique. Il faut attendre les années soixante pour que le Canada s'érige en champion des droits de la personne.

À son retour au Canada, Trudeau reprend le train-train quotidien. Il termine un baccalauréat en éducation à l'Université de Colombie-Britannique et travaille comme moniteur de ski, puis comme chroniqueur dans une station de radio à Montréal. Il se

---

20. *Ibid.*, p. 128.
21. Diana Juricevic, «Playing the Rights Card», *Literary Review of Canada*, décembre 2012, p. 5.

fait discret, d'autant plus que son père occupe encore la scène publique. Puis, soudainement, à l'occasion des funérailles de celui-ci en 2000, il se révèle au grand public et crève l'écran. Les funérailles attirent les caméras du monde entier et une foule de personnalités, dont le président Castro, l'ancien président américain Jimmy Carter, et l'Agha Khan. L'éloge funèbre qu'il prononce provoque une onde de choc. De nombreux commentateurs remarquent son aplomb et sa prestance, et commencent à lui imaginer un avenir en politique. L'ancien directeur du *Devoir*, Claude Ryan, se demande même si on n'assiste pas à la naissance d'une dynastie.

Il est encore trop tôt. Trudeau laisse la poussière retomber jusqu'au Congrès à la chefferie du Parti libéral du Canada en décembre 2006. Il participe au congrès à titre de délégué et se range derrière Stéphane Dion qui est finalement élu chef. L'expérience du congrès l'enthousiasme. Il constate sa popularité aux yeux des militants libéraux et découvre qu'il possède des aptitudes pour la politique. Et celles-ci n'ont rien à voir avec l'approche intellectuelle que son père affichait dans toutes ses activités politiques. Justin, lui, aime tout ce que Pierre déteste : serrer des mains, prendre des bains de foule, travailler sur le terrain, socialiser avec les gens[22].

Après une période de réflexion, Trudeau se lance. En 2007, il convoite la circonscription d'Outremont, où il habite, et le fait savoir à Dion. Le chef libéral lui annonce qu'il pense à quelqu'un d'autre[23]. Il se rabat alors sur la circonscription de Papineau, où l'accueil n'est guère enthousiaste. Le chef appuie une autre candidate. Trudeau ne s'avoue pas vaincu. Il travaille avec

---

22. Justin Trudeau, *op. cit.*, p. 191.
23. Note de l'éditeur : c'est l'auteur qui fut choisi comme candidat dans Outremont.

acharnement et décroche finalement l'investiture comme candidat libéral. Il remporte le siège de député aux élections générales de 2008. La froideur manifestée par le chef pendant les débuts de sa vie politique laisse des marques. Quoi qu'il en dise dans son autobiographie, le courant ne passe pas entre lui et son chef, et ce départ du mauvais pied affecte le reste des relations entre les deux jusqu'au congédiement en janvier 2017 de Stéphane Dion, devenu après l'élection de 2015 ministre des Affaires étrangères. J'y reviens au chapitre cinq.

• • •

Député de Papineau à 36 ans, Trudeau ne laisse rien paraître de sa conception des affaires internationales et de la place du Canada dans le monde. En a-t-il même une, en dépit du fait qu'il « visite » cent pays avant son élection comme député[24]? À son âge, Stephen Harper articule déjà un discours contre l'ONU et le multilatéralisme et pour un Canada fort et aligné sur les États-Unis. L'absence d'intérêt pour les affaires internationales peut, d'une certaine façon, s'expliquer. Après son élection, Trudeau devient critique de son parti en matière de jeunesse, d'éducation postsecondaire, de sport amateur, de multiculturalisme, de citoyenneté et d'immigration. Tous ces sujets ne sont pas d'une grande actualité à cette époque. De son entrée à la Chambre des communes en novembre 2008 au déclenchement des élections générales en avril 2011, le jeune député pose une trentaine de questions au gouvernement, dont quelques-unes sur l'intervention canadienne en Afghanistan.

---

24. Justin Trudeau, *op. cit.*, p. 128. À mon avis, l'utilisation du verbe « visiter » est inappropriée. Trudeau effectue la plupart de ses voyages avec son père lorsqu'il est très jeune et dans un cadre officiel qui limite toute visite. Il serait plutôt juste d'écrire que Trudeau « se rend » dans cent pays et en visite vraiment une vingtaine avant son élection comme député.

De juin 2011 au moment de son élection à la tête du Parti libéral en avril 2013, ses interventions se multiplient en Chambre, mais aucune des quelque cent questions posées par Trudeau ne porte sur les affaires internationales.

Il reste aussi discret pendant la campagne à la chefferie du Parti libéral. Dans son long discours de candidature à la chefferie, il consacre trois lignes à sa future politique étrangère qu'il souhaite, dit-il, « porteuse d'espoir, qui offre des solutions et qui rayonne la même confiance en l'humanité et le même respect que nous avons, ici, les uns pour les autres[25] ». Il est aussi laconique dans son discours de présentation au leadership du parti que dans celui d'acceptation de la victoire.

À titre de chef de parti et jusqu'aux élections de 2015, Trudeau n'effectue aucun déplacement à l'étranger et laisse à d'autres députés libéraux le soin d'interpeller le gouvernement sur les questions internationales, en particulier sur la participation du Canada à la coalition contre l'État islamique en Irak. La presque totalité des quelque trois cents questions que le chef libéral pose à la Chambre des communes porte sur des sujets de politique intérieure, là où, il est vrai, se joue l'avenir d'une carrière politique.

L'entourage de Trudeau est parfaitement conscient des faiblesses du chef libéral sur les questions internationales. Il veut y remédier d'autant plus que les élections approchent. Depuis l'instauration de scrutins à date fixe, les partis jouissent d'une période de stabilité qui leur permet de planifier la prochaine échéance électorale.

L'équipe de Trudeau ne chôme pas. Dès le début de 2014, elle met en place des groupes d'experts et de conseillers sur

---

25. *Ibid.*, p. 339.

différentes questions politiques, sociales et économiques dont le travail est de produire des idées pour étoffer le programme électoral du parti. Un ancien diplomate, Ralph Lysyshyn se joint à l'équipe à titre de conseiller en politique étrangère. Trudeau demande au député Marc Garneau et au général à la retraite et futur député Andrew Leslie de créer un Conseil consultatif sur les affaires internationales chargé de conseiller le chef libéral sur la politique étrangère et les questions de défense. J'entends parler de cette initiative et je contacte Garneau pour lui manifester mon intérêt à me joindre au conseil. Il obtient l'accord du bureau du chef. Le conseil est mis sur pied en avril 2014 et se compose de neuf experts spécialisés dans différents domaines des questions internationales et de cinq députés libéraux. Sept membres de l'entourage du chef libéral participent aussi aux délibérations. Quelques mois plus tard, Trudeau prend aussi contact avec Roland Paris, brillant professeur de science politique à l'Université d'Ottawa et spécialiste des questions de paix et de sécurité, afin de recevoir régulièrement son avis. L'équipe est maintenant en place afin de donner corps à la politique étrangère et de défense de Trudeau.

Chapitre deux

L'éducation d'un chef

Élu chef du Parti libéral en 2013, Justin Trudeau s'intéresse peu aux questions internationales. Philosophiquement, il s'inscrit dans la grande tradition du multilatéralisme canadien établie par Louis St-Laurent, Lester B. Pearson et John Diefenbaker, et poursuivie par Pierre Elliott Trudeau, Brian Mulroney et Jean Chrétien. Le Canada, dit-il en 2009 aux députés, a un « rôle de défense de la paix dans le monde[26] ». C'est un « joueur clé qui peut rassembler et influencer positivement les débats[27] », lance-t-il aux militants libéraux qui viennent de l'élire chef du parti. Pendant la campagne au leadership, il s'aventure à parler de la Chine, mais seulement sous l'angle des relations économiques entre les deux pays[28]. La trame de fond de sa pensée est bien pearsonienne, mais elle manque de substance, de profondeur. Il faut à Trudeau un cours de politique étrangère en accéléré pour lui fournir les outils nécessaires afin de rendre sa pensée plus riche

---

26. Chambre des communes, *Journal des débats*, 11 juin 2009, p. 4508.
27. Justin Trudeau, « Discours lors de la présentation de candidature au leadership libéral », dans *Terrain d'entente*, p. 351.
28. Justin Trudeau, « Why CNOOC-Nexen deal is good for Canada », *Edmonton Journal*, 19 novembre 2012.

et développée. Pour ce faire, il s'entoure de deux conseillers diplomatiques et crée le Conseil consultatif sur les affaires internationales.

Le conseil, composé de quatorze membres – cinq députés et neuf experts –, tient sept rencontres avec Trudeau et quelques conseillers de son entourage de mai 2014 à mai 2015[29]. Chaque rencontre dure environ deux heures et permet un échange franc et direct entre ses membres et le chef libéral. Les participants abordent une dizaine de thématiques : multilatéralisme, dépenses militaires, relations avec les États-Unis, Ukraine, conflits en Afrique, processus de paix israélo-palestinien, aide au développement, maintien de la paix, intervention militaire contre l'État islamique, commerce avec la Chine et l'Inde. Parfois, les experts invités fournissent à l'avance des notes ou des articles sur les sujets à l'ordre du jour afin d'alimenter les discussions.

Trudeau est particulièrement assidu. Il arrive toujours à l'heure et prend le temps d'écouter chacune des interventions. Il est là pour apprendre. Les procès-verbaux des cinq premières rencontres révèlent un Trudeau discret, intervenant peu[30]. Il a une bonne maîtrise des données de base des sujets abordés, mais ses questions ou ses interventions restent très sommaires. Elles ne sortent jamais des sentiers battus et ne remettent pas en cause les dogmes de la politique étrangère et de défense canadienne depuis la fin de la Seconde Guerre mondiale.

Au cours des douze mois où le conseil siège, plusieurs crises commandent son attention. L'année 2014 est particulièrement

---

29. Les rencontres se déroulent les 2 mai, 19 juin, 26 août, 22 septembre et 3 décembre 2014, et les 3 février et 12 mai 2015.

30. Il n'existe pas de procès-verbaux pour les rencontres des 3 février et 12 mai 2015.

fertile en événements. De janvier à mars, après le renversement du gouvernement prorusse en Ukraine par des forces de l'opposition appuyées par les États-Unis, le Canada et l'Europe, Vladimir Poutine réagit brutalement à ce qu'il considère comme une ingérence dans la zone d'influence russe. Il annexe la Crimée après un référendum hâtif aux résultats douteux. Poutine poursuit son entreprise de déstabilisation en appuyant militairement et financièrement la révolte des populations d'origine russe de l'est de l'Ukraine.

Au même moment, le Proche-Orient plonge dans la violence avec l'apparition du groupe terroriste État islamique (EI) – ou Daech –, en Irak, puis en Syrie. L'EI profite des querelles politiques et religieuses au sein d'un Irak déstabilisé par la tragique invasion du pays en 2003 par les États-Unis pour s'installer dans les zones sunnites et y faire régner la terreur. Son objectif est de créer un califat dans tout le monde arabe. La guerre civile en Syrie lui donne aussi l'occasion d'étendre ses activités dans ce pays. En réaction, les Occidentaux et plusieurs pays arabes mettent sur pied en août 2014 une coalition et bombardent les zones tenues par l'EI.

Si l'intervention arabo-occidentale limite la progression de l'EI sur le terrain, les guerres en Irak et en Syrie provoquent un vaste mouvement de réfugiés vers les pays limitrophes comme la Jordanie, le Liban et la Turquie. Les exactions de l'EI et les bombardements de la coalition ajoutent au drame et déclenchent un énorme flux de réfugiés qui se dirige cette fois-ci vers l'Europe occidentale. En quelques mois, plus d'un million de Syriens et d'Irakiens franchissent les frontières maritimes et terrestres, et prennent le chemin de la Grèce, de l'Allemagne et même du

Royaume-Uni. L'Allemagne en accepte quelques centaines de milliers ; d'autres pays sont plus chiches et limitent leur accueil à quelques milliers, sinon quelques centaines.

L'EI et les mouvements terroristes comme al-Qaida sont une menace directe pour les Occidentaux. D'ailleurs, ces mouvements répondent aux bombardements de la coalition en organisant ou en inspirant des tueries de masse en Occident. En septembre 2014, l'EI appelle ses partisans à tuer des ressortissants occidentaux partout où ils se trouvent. Il cite nommément les Canadiens. Un mois plus tard, c'est le drame. Les 20 et 22 octobre 2014, deux Canadiens se réclamant de la mouvance islamiste abattent deux militaires à Saint-Jean-sur-Richelieu et à Ottawa. Un des terroristes parvient même à entrer dans l'édifice du Parlement fédéral avec l'intention de tuer des parlementaires. Il est finalement abattu. Le 7 janvier 2015, des terroristes s'introduisent dans la salle de rédaction de l'hebdomadaire satirique *Charlie Hebdo*, à Paris, et massacrent onze personnes. L'émotion culmine et, trois jours plus tard, quarante-quatre chefs d'État et de gouvernement se joignent à plus d'un million de personnes lors d'une manifestation antiterroriste à Paris.

Les membres du Conseil consultatif établissent un ordre du jour des sujets à aborder, mais l'actualité en modifie constamment les priorités et la hiérarchie. Les 2 mai et 26 août 2014, une bonne partie des échanges porte sur la crise qui vient d'éclater à propos de l'Ukraine et sur la politique à suivre avec la Russie. J'y reviendrai dans un autre chapitre. La lutte contre l'EI occupe l'essentiel des discussions du 22 septembre et du 3 décembre.

Depuis la mise sur pied de la coalition arabo-occidentale contre l'EI en août 2014, la participation canadienne reste d'ordre diplomatique. Au début de septembre, les choses changent subitement. Le gouvernement conservateur annonce l'envoi dans le nord de l'Irak d'une centaine de conseillers militaires afin de soutenir les forces irakiennes. Il n'est pas encore question qu'ils participent aux combats, et leur mission est limitée à trente jours.

La décision du gouvernement place les libéraux dans une position délicate. Ils voient dans ce premier engagement le prélude à une intervention militaire plus musclée. Or, ils n'en veulent pas. En même temps, une majorité de Canadiens appuie l'initiative du gouvernement et ne s'oppose pas à ce que le pays participe à des frappes aériennes comme le suggèrent les conservateurs. Le Parti libéral craint de se déchirer sur cette question. Par le passé, l'usage de la force a déjà divisé ses membres. Les querelles s'étalent parfois sur la place publique et l'une d'entre elles l'avait plongé, en 1991, dans une profonde crise. Au moment où le Canada s'apprêtait à participer à l'intervention multinationale visant à chasser les troupes irakiennes du Koweït, les libéraux, alors dans l'opposition, avaient publiquement affiché leurs divisions. La scène avait même été télévisée. À la Chambre des communes, le chef de l'époque, Jean Chrétien, avait pris position contre la participation canadienne, alors que son collègue et rival, John Turner, l'avait appuyée. Une partie des députés libéraux lui avait emboîté le pas.

Vingt ans plus tard, le parti évite la crise. Le débat sur l'intervention militaire contre l'EI est plus serein. Si quelques députés libéraux sont prêts à appuyer des bombardements, la discussion se déroule au sein du caucus et loin des caméras. Au Conseil consultatif où siègent cinq députés libéraux – Irwin Cotler, Kirsty Duncan, Marc Garneau, Ralph Goodale et Joyce Murray –, et l'ex-général Andrew Leslie, les membres rejettent la participation à une mission de combat. À la réunion du 26 août

2014, ils soutiennent plutôt une proposition d'intervention canadienne différente de celle des conservateurs : aide humanitaire, transport de troupes locales en Irak, formation des combattants kurdes et accueil de réfugiés au Canada. Trudeau suggère aussi de mettre l'accent sur le partage de l'expertise canadienne dans la construction d'un État démocratique et en particulier dans la protection des droits des minorités.

Quelques semaines plus tard, le 22 septembre 2014, les membres du conseil consacrent toute la séance aux événements en Irak et à la participation canadienne. Sur le fond, les libéraux ne s'opposent pas à l'envoi de conseillers militaires canadiens dans le nord de l'Irak, mais insistent pour qu'ils ne s'engagent pas dans un rôle de combat. Aux fins de la discussion, le député Marc Garneau demande aux membres du conseil « si nous accepterions d'appuyer la participation du Canada à des frappes aériennes ». Personne ne manifeste le moindre enthousiasme à cette idée. Au contraire, un des députés craint que le déploiement annoncé par le gouvernement soit le prélude qui ferait dériver le Canada vers une participation à des opérations terrestres.

Trudeau est satisfait de la position libérale. Toutefois, il demande comment le parti doit interpréter cette crise en tenant compte des principes chers au libéraux comme celui de la responsabilité de protéger. La question se pose d'autant plus que des informations circulent sur des massacres commis par l'EI. La responsabilité de protéger, ou R2P (*responsibility to protect*), est un concept élaboré en 2001 par une commission créée à l'initiative du gouvernement de Jean Chrétien, où sont détaillées les situations de violations graves des droits de la personne susceptibles d'enclencher une action internationale. Au cœur du concept se trouve la notion que la souveraineté d'un pays ne constitue plus un rempart derrière lequel peuvent se commettre des crimes en toute impunité. Cependant, l'intervention internationale est soumise à de nombreux critères avant son déclenchement.

Ralph Lysyshyn, le conseiller diplomatique du chef libéral, et Roland Paris appellent à la prudence en ce qui concerne l'invocation de la responsabilité de protéger. Ils soulignent que ce concept est plutôt explicite quant aux événements qui justifient l'appel à la responsabilité de protéger. Pour l'instant, les exactions de l'EI restent à prouver. Trudeau est bien conscient de la complexité de la situation. Il cherche le moyen de défendre les mêmes principes sans explicitement employer le vocabulaire propre au concept. Le général Leslie ramène les participants à des solutions plus terre à terre. Il les invite à étudier une proposition différente de celle des conservateurs : le déploiement d'un groupe humanitaire armé composé d'une unité médicale, d'un escadron d'ingénieurs et de deux compagnies d'infanterie pour la sécurité, et dont la mission est de sauver les vies de personnes déplacées ou de réfugiés dans le nord de l'Irak ou en Turquie. L'idée plaît à Trudeau, mais les libéraux ne la proposent pas publiquement.

La discussion se déplace alors vers la question d'un éventuel engagement aérien du Canada contre l'EI. Le Canada est sur le point de recevoir une invitation à participer aux bombardements, et il ne fait aucun doute dans l'esprit des participants au conseil qu'un tel engagement représente un rôle de combat auquel ils s'opposent. Les événements leur donnent raison. Le 26 septembre 2014, quatre jours après la rencontre du conseil, les États-Unis demandent au Canada de participer aux raids aériens. Le premier ministre Harper accepte la proposition américaine et organise un débat et un vote à la Chambre des communes le 8 octobre afin d'obtenir l'appui des députés.

Trudeau se prépare pour cette grande joute. Il s'exprime publiquement sur la question quelques jours avant le débat en Chambre. En effet, le centre de recherche Canada 2020 invite le chef libéral à prononcer un discours le 2 octobre sur le thème : «Dans quel genre de pays voulons-nous vivre en 2020 ?» Voilà une tribune idéale, qui lui donne l'occasion de marquer son opposition au rôle de combat dans lequel le gouvernement conservateur veut engager l'effort canadien contre l'EI. Son entourage y voit aussi la possibilité pour Trudeau d'articuler un argumentaire plus vaste sur le rôle du Canada dans les conflits.

Le discours est médiocre, tant sur le fond que sur la forme. Il est confus, mal structuré, sans substance. D'entrée de jeu, le chef libéral met la barre haut et suscite les attentes. «La question sur laquelle nous sommes appelés à nous prononcer ces jours-ci est la suivante : quel est notre rôle sur la scène internationale ? Et comment pouvons-nous utiliser notre influence de manière positive et constructive[31] ?», lance-t-il sans préciser que le discours porte exclusivement sur l'engagement canadien contre l'EI. Si l'auditoire s'attend à un argumentaire sur le rôle du Canada dans les conflits, il se trompe.

Trudeau s'engage dans une longue tirade contre le gouvernement conservateur qu'il accuse de cacher ses intentions véritables quant à la participation canadienne à la coalition contre l'EI. «M. Harper a l'intention de faire entrer le Canada en guerre en Irak, il doit nous dire pourquoi[32] », dit Trudeau, rappelant au passage comment en 2003 les États-Unis tentent de convaincre le

---

31. Notes d'allocution par le chef du Parti libéral du Canada, Justin Trudeau, lors de la conférence Canada 2020, 2 octobre 2014.

32. *Ibid.*

monde de participer à la guerre contre l'Irak sous de faux motifs. Il affirme à l'auditoire qu'il y a d'autres moyens d'aider l'Irak que « d'envoyer une poignée d'avions de chasse vieillissants ».

Le chef libéral rejette clairement le rôle de combat sous-entendu dans la demande américaine de participation des avions CF-18 et souligne que « le Canada peut jouer de nombreux rôles de non-combat », qu'il s'agisse « de transport aérien stratégique, d'entraînement, ou encore d'aide médicale ». Il suggère aussi d'offrir l'expertise canadienne en matière de gouvernance afin d'aider l'Irak à rebâtir ses institutions. Assez étrangement, Trudeau termine son allocution en s'interrogeant : « Qui voulons-nous être ? Quelles sont nos valeurs ? Quels sont nos intérêts et comment voulons-nous les défendre sur la scène internationale ? » Il ne fournit toutefois pas la moindre réponse à ces questions.

Malgré les défauts de son discours, le chef libéral passe l'essentiel de son message concernant l'opposition du Parti libéral à un rôle de combat en Irak. Le groupe parlementaire fait corps avec lui et vote le 8 octobre contre le déploiement des CF-18 en Irak, et, le 31 mars 2015, contre l'élargissement des frappes à la Syrie. Lors de la rencontre du Conseil consultatif du 3 décembre, tous ses membres et Trudeau se félicitent de la position du parti. L'ex-général Andrew Leslie résume le sentiment général autour de la table lorsqu'il dit que, en tant que soldat, il est fier que nous n'ayons pas aveuglément répondu à la demande d'envoi d'avions de combat.

Trudeau tient cette ligne politique tout au long de 2015 et jusqu'à l'élection d'octobre. Cette constance lui permet en outre de rassembler de nombreux Canadiens autour de son argumentaire humanitaire et moral envers les victimes du conflit. Un événement aussi tragique que prévisible en pareilles circonstances renforce sa conviction. La crise des réfugiés bouleverse les consciences lorsque le 2 septembre 2015 le corps sans vie d'un jeune garçon syrien d'origine kurde échoue sur la plage d'une station balnéaire turque. La photo fait le tour du monde et relance le débat sur l'accueil des réfugiés au Canada, alors en pleine campagne électorale. Tandis que les conservateurs promettent d'en accueillir quelques milliers, Trudeau fait monter les enchères et promet d'ouvrir les portes à vingt-cinq mille d'entre eux.

Il est difficile de dire si l'option humanitaire et la générosité du chef libéral contribuent à sa victoire électorale le 19 octobre 2015. En tout cas, elles ne lui nuisent pas. Elles se révèlent même positives pour l'image du futur premier ministre et du Canada sur la scène internationale. Au lendemain de son élection, les médias de partout érigent Trudeau et le Canada comme modèles de tolérance, d'ouverture et de générosité dans un monde rongé par le racisme, la méfiance envers l'autre, l'oppression des minorités et des immigrants.

· · ·

L'intervention militaire contre l'EI et la crise des réfugiés permettent au Parti libéral et à son chef de se distinguer aux yeux des Canadiens et de la communauté internationale. Durant ces événements, les libéraux mettent de l'avant l'impératif moral qu'ils estiment à la source de leur philosophie politique. Les élections générales d'octobre 2015 approchent, et ils cherchent maintenant à se doter d'un programme de politique étrangère qui reflète cet impératif de même que leur vision du Canada dans le monde.

Un homme est au cœur du développement de ce programme: Roland Paris. Il est un spécialiste mondialement connu de la consolidation de la paix et de la gouvernance. Au cours des dernières années, il a travaillé au Conseil privé et au ministère des Affaires étrangères, et a siégé à un comité de dix experts conseillant le secrétaire général de l'OTAN. Sa philosophie des relations internationales s'inscrit dans celle développée par le Canada depuis 1945. Jusqu'au début des années 2010, il écrivait peu sur la politique étrangère canadienne. Puis les choses se sont mises à changer à partir de 2011. Outre ses publications universitaires, Paris s'est engagé dans le débat public où, dans des articles publiés dans les pages d'opinion des grands quotidiens anglophones canadiens, principalement *The Globe and Mail*, il a vertement critiqué la diplomatie de Stephen Harper. Le moment s'y prêtait.

En octobre 2010, pour la première fois depuis 1946, le Canada venait d'échouer à se faire élire comme membre non permanent du Conseil de sécurité. Pour les observateurs avertis, la défaite du Canada n'était pas une surprise. Cet échec était le résultat de la politique de désengagement des affaires du monde pratiquée par Harper depuis son arrivée au pouvoir, désengagement marqué par son indifférence envers l'Afrique, son scepticisme envers les changements climatiques et ses prises de position très proisraéliennes. Cette attitude avait irrité de nombreux pays arabes et africains. Même à Washington, l'administration Obama ne cachait plus son exaspération quant aux leçons moralisatrices et aux prises de position internationales du gouvernement Harper.

Les conservateurs et Harper détestent la politique étrangère du Canada mise de l'avant par tous les gouvernements depuis la fin de la Seconde Guerre mondiale. Le Parti conservateur est le résultat de la fusion entre l'Alliance canadienne, l'ancien Parti réformiste, et le Parti progressiste-conservateur. Avant de diriger le « nouveau » Parti conservateur, Harper a été député, puis chef du Parti réformiste, une formation politique de droite ancrée dans l'Ouest canadien et en opposition avec le pouvoir central, qu'il soit aux mains des libéraux ou des progressistes-conservateurs. Sur la politique étrangère, le Parti réformiste était en rupture avec l'« internationalisme libéral » véhiculé par les partis traditionnels.

Au lendemain de la Seconde Guerre mondiale, les élites politiques et intellectuelles développent une philosophie de l'action du Canada sur la scène internationale. Cette philosophie rejette l'isolationnisme, une posture de repli sur soi et d'hostilité par rapport au système international, pour embrasser l'internationalisme, c'est-à-dire une posture d'interaction avec la communauté internationale, seule à même de favoriser la stabilité et la paix mondiale, donc la prospérité et la sécurité du Canada. Cet internationalisme se caractérise par une contribution active aux institutions internationales, à la diplomatie multilatérale, aux efforts de désarmement, aux opérations destinées à maintenir ou à rétablir la paix et au renforcement des règles et des normes du droit international. Cet internationalisme est libéral dans le sens où il s'inspire de cette philosophie politique qui favorise la paix, la démocratie, la liberté et la justice. Mais il ne signifie pas pour autant neutralité. Le Canada est membre du camp occidental, par l'intermédiaire de l'OTAN et de son alliance militaire avec les États-Unis au sein du Commandement de la défense aérospatiale de l'Amérique du Nord (NORAD).

Les réformistes, puis les conservateurs nouvelle mouture, rejettent cette vision bucolique qui, selon eux, ne correspond pas à la réalité, la leur du moins. Au lendemain de l'échec du Canada à obtenir un siège au Conseil de sécurité, plusieurs ministres expriment leur mépris envers l'ONU et manifestent l'intention du Canada de ne plus «jouer le jeu dans le but de nous entendre avec des adeptes du relativisme moral comme on en trouve à l'ONU et ailleurs[33]».

La diplomatie étant molle et relativiste, le Canada doit se tourner vers une posture morale, vertueuse et musclée. Avant même son entrée en politique, Harper tient cette ligne idéologique. «Harper a souvent eu une vision manichéenne du monde, tout noir ou tout blanc, les bons contre les méchants; il était peu nuancé, voire pas du tout[34]», écrit Mike Blanchfield, auteur d'un livre sur la diplomatie du premier ministre conservateur.

Dès 1997, il remettait en cause l'aide au développement qu'il comparait à l'aide sociale, facteur de dépendance. Quelques années plus tard, en 2002, dans son premier grand discours de politique étrangère, il faisait des relations avec les États-Unis sa seule priorité[35]. Un an après, lors de l'invasion de l'Irak par les États-Unis et le Royaume-Uni, il qualifiait la décision de Jean Chrétien de rester en dehors du conflit de «trahison de l'histoire et des valeurs canadiennes[36]». Il est même allé plus loin. Dans une lettre cosignée avec un autre leader conservateur et publiée par le *Wall Street Journal*, Harper a dit aux Américains que les Canadiens «sont à vos côtés[37]». Il ne se contenait plus. Il a vitupéré les élites libérales dont il estimait qu'elles affaiblissaient et isolaient le Canada sur la scène internationale.

---

33. Mike Blanchfield, «You'll face consequences from Canada if you take Israel to International Criminal Court: Baird to Palestinians», *National Post*, 6 mars 2013 (notre traduction).

34. Mike Blanchfield, *Swingback: getting along in the world with Harper and Trudeau*, McGill-Queen's University Press, 2017, p. 9 (notre traduction).

35. *Ibid.*, p. 33.

36. *Ibid.*, p. 39 (notre traduction).

37. Stephen Harper et Stockwell Day, «Canadians Stand with You», *Wall Street Journal*, 28 mars 2003.

Pourtant, cinq ans après sa fameuse lettre au quotidien américain, Harper a regretté sa prise de position sur la guerre au cours d'un débat télévisé lors des élections générales de 2008.

Son recul sur l'Irak ne l'a pas empêché de marteler son message de base. Dans une entrevue à l'hebdomadaire *Maclean's* en 2011, Stephen Harper a rappelé quels étaient les trois principes fondateurs de *son* Canada : « guerrier courageux, voisin compatissant, partenaire de confiance[38] ». Ce à quoi le journaliste lui a répondu qu'il n'avait pas choisi plutôt de dire : « une nation de gardien de la paix, une nation d'immigrants […] ». Il lui a demandé si les Canadiens se reconnaissaient dans sa vision du pays, et, lui de répondre : « Eh bien, pas récemment. » Mais qu'à cela ne tienne.

Harper a voulu déconstruire l'identité « libérale » canadienne afin de lui en substituer une plus proche, selon lui, de l'expérience historique canadienne depuis deux siècles. Le gouvernement a donc tout mis en place pour effacer les références à ce qui ne lui plaisait pas et leur en substituer de nouvelles : le monument du maintien de la paix qui illustrait un des dos du billet de 10 dollars a disparu de la coupure au profit d'un train ; la guerre de 1812 a remplacé la Première Guerre mondiale comme événement fondateur de la nation et de l'identité nationale canadiennes ; les parades en l'honneur des militaires de retour de missions ont remplacé la célébration du jour du maintien de la paix.

À l'évidence, cette vision du monde et de la place du Canada sur la scène internationale heurte Roland Paris. Il saute dans l'arène publique. Il accuse le premier ministre d'offrir aux Canadiens « une vision manichéenne des relations internationales, un

---

38. Kenneth Whyte, « In conversation: Stephen Harper », *Maclean's*, 5 juillet 2011 (notre traduction).

combat entre le bien et le mal, et de la clarté morale comme le grand atout et le guide le plus digne de confiance en politique étrangère[39] ». Selon Paris, le gouvernement est mal à l'aise avec la diplomatie. « Leur orientation par défaut est de diviser le monde entre amis et ennemis […] Lorsqu'ils doivent affronter des impératifs conflictuels et faire preuve de nuance, ils semblent difficilement parvenir à moduler leur position[40]. » Il en a particulièrement contre leur politique de défense des droits de la personne, qu'il trouve sélective et hypocrite. « Le gouvernement du premier ministre Stephen Harper se targue de pratiquer une politique étrangère reposant sur des principes et de prendre "clairement position" pour les droits de la personne[41] », écrit-il. Pourtant, lorsque le gouvernement de Bahreïn réprime violemment l'opposition qui demande une libéralisation du régime comme en Libye ou en Syrie, le Canada demeure « silencieux », poursuit-il.

• • •

Les prises de position de Paris se multiplient et circulent dans le petit monde politique d'Ottawa. Elles attirent rapidement l'attention de Trudeau. À l'automne 2014, le bureau du chef libéral contacte le professeur et lui demande de venir breffer régulièrement ce dernier sur les affaires internationales. Cet accompagnement se déroule en parallèle des rencontres de Trudeau avec les membres du Conseil consultatif. À la fin de l'année, Paris se voit confier la rédaction d'une stratégie de réengagement du Canada sur la scène internationale. Il se met à l'ouvrage et rassemble une importante documentation, dont

---

39. Blogue publié le 14 juillet 2011 (notre traduction).
40. Roland Paris, « Baird's silence on abuses in Bahrain exposes Canada's inconsistency », *The Globe and Mail*, 5 avril 2013 (notre traduction).
41. *Ibid.* (notre traduction).

les procès-verbaux des réunions du Conseil consultatif, et rencontre une foule d'experts et d'acteurs des questions internationales. Son document final sert à la rédaction des engagements en matière de politique étrangère de la plateforme du parti à la veille des élections d'octobre.

Paris donne un sérieux coup de main au chef libéral. La clarté de ses positions et la rigueur de ses démonstrations se reflètent immédiatement dans les déclarations de Trudeau. La pensée du chef libéral se précise, ses propos s'affinent. L'influence de Paris se révèle lorsque Trudeau prononce le 23 juin 2015 un discours – dont je traiterai au chapitre onze – sur les relations canado-américaines. On est loin du discours confus et décousu que le chef libéral prononce quelques mois auparavant sur l'engagement canadien contre l'EI.

Parallèlement à ses activités de conseil auprès du chef libéral, Paris poursuit son combat intellectuel dans les médias. En mars 2015, il publie une longue lettre ouverte au «futur premier ministre» où il trace un portrait peu flatteur de la situation du Canada sur la scène internationale et offre sa recommandation «de poursuivre une politique étrangère tournée vers l'avenir[42]». Paris tente de se positionner au-dessus des partis, mais son jupon dépasse. À la lecture du texte, on décèle son caractère partisan.

Au fil des jours, Paris devient indispensable pour Trudeau. Il n'occupe aucune fonction officielle, mais n'est jamais loin lorsque le chef libéral sollicite son éclairage. Au lendemain de la victoire, le 19 octobre 2015, il se joint à l'équipe de transition chargée de préparer le passage entre le gouvernement Harper et le nouveau gouvernement. Le 14 novembre, à la veille du départ de Trudeau

---

42. Roland Paris, «Time to Make Ourselves Useful», *Literary Review of Canada*, mars 2015, p. 13 (notre traduction).

pour une série de quatre sommets internationaux, le nouveau premier ministre le nomme conseiller politique principal sur les affaires internationales. Du jour au lendemain, il se retrouve aux côtés du premier ministre lors de rencontres avec le président Barack Obama ou le président chinois Xi Jinping.

Un de ses amis salue le choix de Paris comme conseiller. « Si vous savez reconnaître le talent, cet homme fera partie de vos choix[43] », dit-il au *National Post*. Et puis, soudainement, tout s'écroule. Sept mois plus tard, en juin 2016, Paris démissionne et retourne à son poste de professeur à l'Université d'Ottawa. On ignore la raison véritable de son départ et il refuse d'en parler. Le pousse-t-on à la démission ou quitte-t-il sa fonction de son plein gré ? Plusieurs théories circulent afin d'expliquer une chute aussi brutale. Certains avancent l'idée qu'au moment de son départ l'entourage du premier ministre l'a marginalisé. Paris est un *outsider* depuis le début. Gerald Butts, conseiller principal, est un ami de Trudeau depuis vingt ans. La chef de cabinet, Katie Telford, la directrice des communications, Kate Purchase, et plusieurs autres sont des militants libéraux et des partisans de Trudeau depuis une dizaine d'années. Ils sont de tous les combats. Les années dans l'opposition ont soudé le groupe autour du chef libéral. Paris n'arrive pas à s'introduire dans le premier cercle. Et ce cercle ne porte aucun intérêt aux questions de politique internationale et de défense.

L'autre théorie, plus difficile à démontrer, veut que Paris se montre incapable de « livrer la marchandise », comme on dit dans les cabinets ministériels. Il pense davantage qu'il agit. Or, dans la plupart des officines gouvernementales, le temps est compté et

---

43. « A return to multilateralism: Meet Roland Paris, the man behind Justin Trudeau's foreign policy », *National Post*, 29 décembre 2015 (notre traduction).

on fixe les yeux sur l'opinion publique et la prochaine échéance électorale. Les programmes conçus doivent comporter leur lot de produits à livrer le plus rapidement possible. L'objectif est de cocher des cases et d'être en mesure de démontrer à l'électorat que les programmes gouvernementaux concernant les femmes, les jeunes, les autochtones, la classe moyenne atteignent leurs objectifs. La politique étrangère et de défense se prête mal à ce genre d'exercice.

Coincé entre un cercle d'intimes qui le boudent et les contraintes du processus d'élaboration et de mise en œuvre des politiques, Paris comprend que sa capacité à influencer Trudeau diminue et que son temps est passé.

Deuxième partie

L'exercice du pouvoir

Chapitre trois

Les premiers pas

La campagne électorale commence en août 2015 et les chefs des trois grands partis se préparent à un débat sur la politique étrangère. La Munk School of Global Affairs de l'Université de Toronto organise l'événement. Il se déroule le 28 septembre et est télévisé. C'est une première dans l'histoire politique et électorale du Canada.

Trudeau est prêt pour ce débat. Le Parti libéral vient tout juste de publier sa plateforme électorale où il consacre une dizaine de pages aux questions internationales et militaires[44]. Cet aspect du programme est le fruit des discussions et des réflexions des membres du Conseil consultatif et des conseillers personnels du chef libéral, en particulier l'universitaire Roland Paris, au cours de l'année 2014-2015. À partir de ce matériau, Paris élabore une stratégie de réengagement du Canada sur la scène internationale. Cette stratégie sert de base à la rédaction des engagements de politique étrangère et de défense contenus dans la plateforme électorale du Parti libéral. Les idées de Paris influent fortement sur les discussions au bureau du chef libéral

---

44. *Changer ensemble*, Parti libéral du Canada, 2015, p. 70-79.

et se retrouvent directement dans le programme du parti. D'une certaine façon, Paris est un nostalgique de l'âge d'or de la diplomatie canadienne des années cinquante et soixante, une époque où le Canada développe et promeut une philosophie, l'« internationalisme libéral », fondée sur une participation active au multilatéralisme, aux négociations de désarmement, aux opérations de paix et au renforcement du droit international.

Paris reproche au gouvernement conservateur l'abandon de cette philosophie qui fait depuis longtemps le succès du Canada sur la scène internationale et sert très bien ses intérêts. L'internationalisme libéral « a été le fondement non partisan de la politique étrangère du pays, au moins depuis la Seconde Guerre mondiale[45] », écrit-il dans un article au vitriol contre la politique étrangère de Stephen Harper. Travailler dans ce cadre « nous a de tout temps donné une voix en matière d'affaires internationales, qui nous aurait fait défaut sinon ».

Pour le Canada, pays dont la prospérité dépend du commerce et de la libre circulation des biens et des personnes, cette philosophie permet de renforcer un système international basé sur des règles communes et, dès lors, de lui assurer une certaine stabilité. Si Paris met l'accent sur cette philosophie et la véhicule auprès de Trudeau et des lecteurs de ses articles, c'est que celle-ci résonne toujours dans l'opinion publique canadienne.

Il le démontre dans une étude publiée à l'automne 2014. Paris cherche à savoir si le discours et les politiques du gouvernement Harper sur le rôle du Canada dans le monde ont réussi depuis 2006 à modifier le comportement de la population : en un mot, les Canadiens restent-ils fidèles à l'internationalisme libéral ou

---

45. Roland Paris, « Canada's decade of diplomatic darkness », *The Globe and Mail*, 24 septembre 2014 (notre traduction).

adhèrent-ils à la politique étrangère musclée de Harper[46]? Paris compile sondages et enquêtes d'opinion sur une longue période afin de mesurer les variations des convictions de la population sur certaines thématiques de politique étrangère.

Les conclusions de son étude sont sans appel: elles révèlent le profond attachement des Canadiens envers l'ONU, les Casques bleus, le multilatéralisme et l'aide au développement. Pour lui, les conservateurs échouent à modifier le comportement des Canadiens. Mais plus encore, l'étude révèle que la stratégie du Parti conservateur visant à attirer les nouveaux Canadiens, dont une majorité provient de pays aux valeurs conservatrices et autoritaires, est un échec. Selon les données de l'étude, cette entreprise de séduction ne fonctionne pas. Les nouveaux Canadiens sont aussi attachés que les anciens aux valeurs de l'internationalisme libéral. D'un point de vue électoral, les communautés culturelles représentent donc un terreau fertile.

Le programme du Parti libéral reflète les conclusions des recherches de Paris. La dizaine de pages consacrées aux questions internationales et militaires utilise à fond le vocabulaire de l'internationalisme libéral: un gouvernement Trudeau «rétablira le leadership» du Canada dans le monde, «rebâtira des ponts» avec les États-Unis et la communauté internationale, «aidera les plus pauvres» dans les pays en développement, «renouvellera son engagement» dans les missions des Casques bleus, «fournira une aide humanitaire» lors de crises et de catastrophes naturelles, et se montrera attentif à la «souffrance» et ouvert «aux réfugiés». La plateforme libérale se réalisera par l'intermédiaire de politiques et

---

46. Roland Paris, «Are Canadians still liberal internationalists? Foreign policy and public opinion in the Harper era», *International Journal*, vol. 69 (3), 2014, p. 274-307.

de programmes empreints «de compassion» et de «bienveillance.» C'est le triomphe de ce que les Américains appellent le *soft power*, la puissance douce, sur le *hard power*, la puissance dure, si chère aux yeux de Stephen Harper et des conservateurs.

. . .

Le débat télévisé du 28 septembre se déroule bien pour tous les chefs de partis. La performance de Trudeau attire l'attention. Il se montre émotif, et cela plaît à une bonne partie des trois mille spectateurs. Il parle avec ferveur de la tragédie des réfugiés syriens et du manque de générosité de la part du gouvernement conservateur. Pour sa part, Harper, après dix ans de pouvoir, est sur ses gardes et l'objet de toutes les attaques. Ses deux adversaires l'accusent de placer le Canada en position de faiblesse sur la scène internationale et de négliger la relation la plus importante, celle avec les États-Unis.

Mulcair, mal à l'aise avec les questions internationales, concentre ses attaques sur la personne de Trudeau. Il se montre cinglant envers le chef libéral et tente de l'humilier en l'appelant constamment «Justin» et en se demandant comment il pourra tenir tête aux Vladimir Poutine de ce monde. Trudeau répond du tac au tac à chaque coup. Il maîtrise ses répliques. Visiblement, les sept séances de breffage avec les membres du Conseil consultatif et les rencontres particulières avec ses conseillers personnels, dont Paris, portent leurs fruits.

. . .

Le 19 octobre 2015, le Parti libéral gagne haut la main les élections après une des campagnes électorales les plus longues de l'histoire canadienne. Pour plusieurs observateurs, cette victoire est inattendue. Les scandales déstabilisent le Parti conserva-teur au point où il se retrouve deuxième dans les sondages, immédiatement après le Nouveau Parti démocratique. Stephen Harper ne s'avoue pas vaincu pour autant et compte sur une longue campagne pour faire oublier les déboires de son gouver-nement et convaincre les électeurs de garder en tête son bilan économique et social lors du vote.

Le Parti libéral, pour sa part, commence la campagne électo-rale bon troisième. Pourtant, plus la campagne avance, plus les libéraux remontent, lentement, mais sûrement. Trudeau prend des risques, annonce que son futur gouvernement est prêt à accroître les déficits pour relancer l'économie et à accueillir des dizaines de milliers de réfugiés syriens. La proposition sur les réfugiés ne manque pas d'audace à un moment où l'opinion publique, au Canada comme en Occident, manifeste son hosti-lité plus ou moins franche envers les politiques d'immigration et d'accueil des réfugiés.

À la télévision, les débats des chefs révèlent un étonnant paradoxe. Thomas Mulcair, le chef du NPD, formation sociale-démocrate, cultive une image de grande prudence sur plusieurs dossiers. Ainsi, il ne se distingue guère de Harper sur le plan fiscal, alors que Trudeau est partisan de la dépense publique pour stimuler la croissance. Les Canadiens apparaissent débous-solés devant l'offre politique. D'ailleurs, les sondages tracent le portrait d'un électorat volatil, mais à la recherche d'un change-ment. Les Canadiens ne font pas confiance au NPD pour diriger le pays et craignent l'inexpérience de Trudeau. En même temps, ils savent que Trudeau est le chef d'une formation politique dont les leaders ont gouverné le Canada pratiquement tout au long du XXe siècle. Vers la fin de la campagne, le vent de changement l'emporte. Le Parti libéral se détache des autres partis et prend la première place alors que le meneur du début, le NPD, se retrouve au troisième rang.

. . .

Au début de novembre 2015, quelques jours après l'assermentation du gouvernement libéral, Trudeau et plusieurs de ses ministres se rendent à l'édifice Lester B. Pearson, siège du ministère des Affaires étrangères. Les fonctionnaires sont au courant de sa venue, et des centaines d'entre eux se massent dans le lobby dominé par un immense portrait de la reine Élisabeth II. L'atmosphère est électrique. Le premier ministre arrive. C'est la cohue. On se presse autour de lui, on lui serre la main, on le photographie, on l'applaudit. C'est du jamais vu, et pour cause : quelques heures auparavant, Trudeau a envoyé une lettre à tous les chefs de mission à l'étranger, dans laquelle il leur annonce qu'il lève le bâillon imposé à leur liberté de parole par les conservateurs. Le premier ministre les invite à s'exprimer sur le rôle du Canada dans le monde dans le cadre de leurs fonctions. Il les appelle aussi à partager avec les nouveaux membres du gouvernement leur expérience et leur expertise.

La missive fait le tour d'Ottawa et déborde largement le cercle des diplomates. Tous les fonctionnaires se sentent concernés. Les scientifiques qui travaillent sur les questions environnementales sont particulièrement heureux de cette décision, car, pendant dix ans, les conservateurs leur ont interdit de s'exprimer dans les médias.

Deux jours après la visite du premier ministre, des employés du ministère retirent le portrait de la reine et réinstallent les deux tableaux du célèbre peintre canadien Alfred Pellan en place quatre ans plus tôt. Un nouveau gouvernement s'installe à Ottawa. Cela doit se voir et se savoir.

. . .

Les fonctionnaires et les diplomates des Affaires étrangères ne sont pas les seuls à accueillir avec enthousiasme le nouveau gouvernement. L'opinion publique internationale s'entiche rapidement du premier ministre. Le discours de Trudeau sur la diversité, la tolérance, l'ouverture est une bouffée d'air frais au moment où, en Europe et aux États-Unis, une partie de l'électorat rejette les partis traditionnels et cède aux sirènes du populisme. Le terrorisme islamiste et les vagues de migrants, facilement amalgamés, provoquent de vives tensions sociales et alimentent un discours haineux et xénophobe.

Sur ces questions, Trudeau se distingue. À peine élu, le premier ministre devient l'objet d'un véritable culte de la personnalité. Plusieurs grands magazines internationaux lui consacrent leur une, seul ou en compagnie de son épouse, Sophie Grégoire. L'hebdomadaire français *Le Point*, sous le titre « Trudeau, l'anti-Trump », le montre joggant à Ottawa. Le magazine de mode américain *Vogue* publie une photo très sensuelle du couple Trudeau-Grégoire enlacé. Deux ans plus tard, à l'été 2017, la nouvelle trudeaumanie se poursuit lorsque le magazine *Rolling Stone* le place en une et titre : *Justin Trudeau : pourquoi ne peut-il pas être notre président ?* L'article, à l'intérieur, est sous-titré : *Est-il le meilleur espoir du monde libre*[47] ?

---

47. En anglais : *Justin Trudeau: Why Can't He Be Our President?* et *Is he the free world's best hope?*

Tout ce qui est excessif est insignifiant, dit, en son temps, le grand diplomate français Talleyrand. Sans doute, mais force est de constater qu'une partie du monde succombe aux charmes de Trudeau, tandis que, aux États-Unis certains cherchent visiblement un contre-modèle à Donald Trump, propulsé à la présidence un an après l'élection du premier ministre.

Trudeau prend toute la mesure de son immense popularité internationale. Neuf jours après son assermentation, au début de novembre 2015, il entreprend un sprint diplomatique qui le conduit sur deux continents en l'espace d'un mois afin de participer à quatre grands sommets mondiaux. Journaliste à La Presse Canadienne, Mike Blanchfield a décrit les réactions suscitées par le nouveau premier ministre à l'occasion de ces rencontres internationales[48].

Trudeau fait ses premiers pas au sommet du G20 en Turquie où il croise les leaders des dix-neuf autres grandes puissances économiques de la planète. Il n'est pas en terrain connu et n'a ni l'expérience du pouvoir ni celle des sommets internationaux. Qu'à cela ne tienne, le jeune premier brise la glace. À Ankara, il provoque l'hilarité de ses pairs en déclarant que « ce sommet est de loin le meilleur auquel j'ai jamais assisté[49] ». Quelques jours plus tard, il est à Manille, aux Philippines, pour la rencontre des leaders de l'APEC, qui regroupe les pays de la zone Asie-Pacifique. Au centre des conférences, une foule hystérique le happe, crie son nom. Un journal local le décrit comme le leader le plus sexy du sommet, conjointement avec le président mexicain. Puis il se retrouve à Malte, en Méditerranée, pour le sommet des pays

---

48. Mike Blanchfield, *Swingback: getting along in the world with Harper and Trudeau*, *op. cit.*

49. *Ibid.*, p. 196 (notre traduction).

du Commonwealth et, finalement, le 28 novembre 2015, il arrive à Paris pour participer à la conférence sur les changements climatiques. À cette occasion, il se rend au centre de la capitale française afin de se recueillir devant la salle de spectacle Bataclan, là où, quelques jours plus tôt, des terroristes islamistes ont massacré une centaine de personnes.

Partout où il passe, Trudeau transmet le même message : celui de l'espoir et de l'optimisme. Et il utilise sa réputation, son image pour promouvoir le Canada. « Si vous cherchez un pays qui possède la diversité, la résilience, l'optimisme et la confiance et qui ne fera pas que gérer le changement, mais en tirera avantage, c'est le moment ou jamais de vous tourner vers le Canada[50] », dit-il aux participants du Forum économique de Davos en janvier 2016.

• • •

Au lendemain de son élection, Trudeau doit composer son gouvernement. Il se trouve devant tout un casse-tête : la représentation libérale à la Chambre des communes passe de trente-quatre à cent quatre-vingt-quatre députés. Il doit choisir ses ministres parmi ceux-ci, et l'exercice est loin d'être simple. Il doit s'assurer de remplir les critères suivants : parité homme-femme ; représentation provinciale et équilibre entre centres urbains et régions ; équilibre linguistique ; représentativité des communautés culturelles, des autochtones et des personnes handicapées. Enfin, il doit récompenser les députés qui l'accompagnent depuis les années d'opposition. L'équipe des ministres chargés des questions

---

50. *Le Canada, pays d'occasions*, discours du premier ministre devant le Forum économique de Davos, 20 janvier 2016.

internationales et militaires qu'il présente est un savant dosage entre vétérans et nouveaux députés, entre représentants des communautés culturelles et personnalités d'expérience.

Stéphane Dion, l'un des députés de la région de Montréal, domine la cohorte. Ancien ministre sous les gouvernements Chrétien et Martin et ancien chef libéral et leader de l'opposition officielle, c'est un politicien aguerri et un redoutable parlementaire. Trudeau le nomme aux Affaires étrangères, poste le plus prestigieux du cabinet. Il lui adjoint deux ministres débutantes : Chrystia Freeland au Commerce international, députée à Toronto, et Marie-Claude Bibeau, au Développement international et à la Francophonie, députée à Sherbrooke. À la Défense nationale, le premier ministre nomme un ex-militaire, Harjit Sajjan, sikh originaire de l'Inde, vétéran de la guerre en Afghanistan et député d'une circonscription de Colombie-Britannique. Kent Hehr, député d'une circonscription en Alberta, avocat et paraplégique, l'assiste comme ministre des Anciens Combattants. Trudeau est maintenant prêt à assumer les responsabilités du pouvoir et à s'attaquer aux affaires du monde.

Chapitre quatre

Stéphane Dion aux commandes

Lorsqu'il arrive à la tête du ministère des Affaires étrangères en novembre 2015, Stéphane Dion est loin d'être un inconnu sur la scène politique nationale. Professeur de science politique à l'Université de Montréal, il est, comme Justin Trudeau, le fils d'une personnalité connue. Son père, Léon Dion, est un des grands politologues canadiens. Stéphane Dion s'intéresse à la politique québécoise et canadienne, mais consacre une bonne partie de son enseignement à l'administration publique et à l'analyse des organisations.

Au moment où il a commencé à enseigner en 1984, j'entamais mes études de maîtrise à l'Université de Montréal et je n'avais encore eu aucun contact avec lui. Son style n'était pas flamboyant, mais les étudiants savaient qu'il ne laissait rien passer et qu'il était rigoureux et exigeant.

Dion s'est engagé publiquement dans le débat constitutionnel lors de la campagne référendaire de 1995. À coup d'entrevues à la radio et à la télévision et d'articles dans les pages d'opinion des grands quotidiens, il réfutait l'argumentaire indépendantiste. Il était un des rares intellectuels québécois à enfourcher aussi publiquement la cause fédéraliste et à faire appel à la raison comme aux émotions pour la défendre. Le résultat extrêmement serré du référendum du 30 octobre a provoqué une onde de choc chez les fédéralistes. Il leur fallait réagir, sinon les indépendantistes risquaient de l'emporter la prochaine fois.

À cet effet, le premier ministre Jean Chrétien voulait remanier son cabinet et y injecter du sang neuf en provenance du Québec. Il pensait avoir trouvé la perle rare en Dion. Dans les mémoires couvrant son passage au pouvoir comme premier ministre, il a raconté comment, un soir de novembre 1995, sa femme Aline, assise devant le téléviseur, lui a fait découvrir le professeur de l'Université de Montréal, alors invité à un débat. Chrétien était d'abord sceptique. Un professeur n'était pas son premier choix pour occuper un poste ministériel. « Le problème avec les professeurs au pouvoir [...], c'est qu'ils ont tendance à mettre de l'avant leurs idées abstraites sans se préoccuper des conséquences pratiques, et ce, juste pour prouver que leur théorie se tient[51] », écrit-il. Pourtant, il était sous le charme lorsqu'il écoutait Dion à la télévision. « Plus je le regardais, plus j'étais impressionné, comme l'avait été Aline, par sa défense ferme et intelligente du fédéralisme canadien. »

Il lui a téléphoné. Sur le coup, Dion a cru à une farce d'étudiant. Quelques heures plus tard, il était à Ottawa, à la résidence officielle du premier ministre. Chrétien lui a offert le poste de ministre des Affaires intergouvernementales responsable du dossier de l'unité nationale. Dion n'était même pas député. Après quelques semaines de réflexion, il a accepté.

Le nouveau ministre s'est fait remarquer par sa fougue et son esprit combatif. Il a piloté ce qui est devenu son grand fait

---

51. Jean Chrétien, *op. cit.*, p. 65.

d'armes, la loi dite « sur la clarté référendaire », qui balise la démarche vers l'indépendance des provinces s'engageant dans cette voie. Après le départ de Chrétien en décembre 2003, Dion est resté sur la touche quelques mois avant que le nouveau premier ministre, Paul Martin, lui offre le poste de ministre de l'Environnement. À ce titre, il a réussi un bon coup en dégageant un consensus international sur la poursuite de la lutte pour réduire les émissions de gaz à effet de serre lors de la conférence de l'ONU sur les changements climatiques à Montréal en 2005. Même les écologistes étaient satisfaits.

Un an plus tard, l'électorat a chassé les libéraux du pouvoir. Martin a démissionné et, après une chaude lutte, Dion est devenu, à la fin de 2006, chef du Parti libéral et, par le fait même, chef de l'opposition officielle. Il a mené son parti à la défaite lors des élections générales de 2008 et a dû se retirer comme chef.

• • •

L'attribution du portefeuille des Affaires étrangères à Dion vient couronner une brillante carrière universitaire, parlementaire et ministérielle. Il faut y voir à la fois un signe de reconnaissance de ses capacités et une récompense. Pendant la campagne électorale, Trudeau définit ses priorités de politique étrangère autour du thème « Le Canada est de retour ». Son programme est centré sur la paix, le multilatéralisme, la lutte aux changements climatiques, la diversité et la défense des droits de la personne. Il cherche donc parmi sa députation une personne à la stature intellectuelle incontestée et capable de promouvoir des idées destinées à rétablir la crédibilité du Canada sur la scène internationale après neuf années de règne conservateur.

En même temps, le poste de ministre des Affaires étrangères est le plus prestigieux au sein du conseil des ministres après celui de premier ministre. Ce poste est perçu comme une récompense pour celui ou celle qui se le voit attribué, soit en raison de ses années de services au sein du gouvernement, soit après un long et brillant passage dans l'opposition. À moins, bien entendu, que le premier ministre sélectionne une personne effacée qui accepte de jouer un rôle de second plan, alors que lui se réserve toute la place en politique étrangère. Au cours de ses neuf années au pouvoir, Stephen Harper nomme six ministres à ce poste, et aucun ne laisse sa marque sur les questions internationales.

Dion remplit les critères de stature intellectuelle et de loyauté politique. Sa feuille de route sous Chrétien et Martin se révèle inattaquable et il ne joue pas les figurants lors de son passage dans l'opposition. Le choix de Trudeau se porte naturellement sur Dion comme ministre des Affaires étrangères. Ce n'est d'ailleurs pas la première fois qu'un premier ministre choisit un ancien chef du parti au pouvoir comme ministre des Affaires étrangères : Brian Mulroney, notamment, avait offert ce poste à Joe Clark en 1984, après avoir triomphé de lui dans une rude bataille au leadership conservateur. Clark y restera sept ans.

Dès son assermentation comme ministre le 4 novembre 2015, Dion se retrouve dans le feu de l'action : il n'a que quelques jours pour se préparer avant d'accompagner le premier ministre à quatre événements internationaux déjà prévus depuis long-temps : les sommets du G20, en Turquie, de l'APEC, aux Philippines, et du Commonwealth, à Malte, ainsi que la conférence de Paris sur les changements climatiques.

À son bureau du ministère, Dion n'a ni chef de cabinet, ni directeur des communications, ni conseiller politique. Il compte sur une petite équipe chargée de la liaison entre le bureau du ministre et ses fonctionnaires. Cette équipe organise les rencontres de breffage entre le ministre et les fonctionnaires responsables de tel ou tel dossier. Dion connaît le système, c'est un pro. Il sait comment fonctionne un ministère et se met rapidement à l'ouvrage. Il lit jour et nuit. En parallèle, le bureau du premier ministre lui trouve un chef de cabinet. Son mandat est de recruter ceux et celles qui vont constituer le personnel politique du bureau du ministre et le soutenir dans ses activités.

. . .

Le ministre des Affaires étrangères dirige une énorme équipe de plusieurs milliers de diplomates et fonctionnaires à Ottawa et dispersés dans quelque deux cents postes diplomatiques à travers le monde. Une partie de ces employés est responsable de la gestion quotidienne des politiques gouvernementales en matière de relations internationales. Ces diplomates et fonctionnaires formulent les politiques, préparent les dossiers, discutent avec les autres ministères concernés par les questions internationales – Défense nationale, Développement international et Francophonie, Immigration, Sécurité publique, Environnement –, représentent le Canada dans tous les pays et dans les organisations internationales, interagissent avec les ONG et la société civile. Ils sont aussi la mémoire historique, celle qui rappelle à tout nouveau gouvernement les positions traditionnelles du Canada sur une foule de questions internationales.

Ce travail gigantesque est souvent méconnu des médias et du grand public. Le ministre doit en tirer le meilleur parti s'il veut atteindre les objectifs du gouvernement. Pour y arriver, il a besoin d'une équipe autour de lui, qui agit à la fois comme courroie de transmission et comme filtre entre lui et l'immense machine gouvernementale.

Dion n'est pas un spécialiste de politique étrangère. Il s'entoure donc de six conseillers, tous choisis par le chef de cabinet, afin d'obtenir les meilleurs avis sur les dossiers les plus importants de la diplomatie canadienne et de travailler à lui fournir de nouvelles idées. Le 7 novembre 2015, trois jours après l'assermentation de Dion comme ministre, je le contacte pour lui manifester mon intérêt à me joindre à son cabinet. Il m'invite à téléphoner à son chef de cabinet et à préparer un CV. J'entre à son service le 22 février 2016 pour m'occuper du multilatéralisme, des opérations de paix et de l'Afrique[52]. Je suis aussi le rédacteur de discours francophones[53]. Je m'installe au bureau du ministre en pays de connaissance. Je connais Dion depuis des années et je suis un familier du ministère.

• • •

J'ai rencontré Stéphane Dion pour la première fois à la fin des années quatre-vingt au cours d'un lancement de livre auquel l'accompagnait sa conjointe, Janine Krieber, alors professeure

---

52. Les cinq autres conseillers sont : Christopher Berzins, fonctionnaire aux Affaires étrangères. En plus d'être le directeur des politiques, il couvre les États-Unis, l'Europe et les questions de sécurité. Jean Boutet, fonctionnaire à Environnement Canada et ancien conseiller de Dion à l'époque où celui-ci était ministre de l'Environnement. Il s'occupe de l'Amérique latine, de l'environnement, de l'Arctique. Laurence Deschamps-Laporte, universitaire. Elle traite du Proche-Orient et de certaines questions de sécurité. Pascale Massot, professeure à l'Université d'Ottawa et spécialiste de la Chine. Elle couvre essentiellement la Chine et l'Asie de l'Est. Andrew Sniderman, juriste. Il s'intéresse aux droits de la personne, aux questions LGBTQ et à certains dossiers de sécurité. Dion est congédié le 6 janvier 2017, et la nouvelle ministre Chrystia Freeland démantèle l'équipe en février 2017, ne retenant que les services de Laurence.

53. Je vais occuper mes fonctions du 22 février 2016 au 10 février 2017.

au Collège militaire royal de Saint-Jean. Nous avons maintenu des contacts épisodiques. En janvier 2007, le député libéral d'Outremont, Jean Lapierre, a démissionné. Dion dirigeait le parti depuis quelques mois et je suis entré en contact avec lui afin de manifester mon intérêt pour être candidat libéral dans cette circonscription. Il n'a pas dit non, mais il a attendu jusqu'en juillet avant de prendre sa décision et de me choisir comme candidat pour l'élection partielle qui se tenait le 17 septembre. Dans cette circonscription, les conservateurs n'avaient aucune chance de l'emporter. Le Nouveau Parti démocratique était alors presque inconnu au Québec, mais son chef Jack Layton était populaire au Canada. Il a recruté comme candidat pour Outremont un grand nom de la politique québécoise, Thomas Mulcair. La campagne s'est déroulée sereinement dans une circonscription où les libéraux devaient maintenant batailler, car, contrairement à un passé récent, ils avaient gagné de justesse en 2006 avec 36 % des voix. Les indépendantistes du Bloc québécois avaient raflé plus de 30 % des suffrages. Justin Trudeau est venu me donner un coup de main à deux reprises. À chacun de ses déplacements, c'était la cohue. Les gens se bousculaient pour être photographiés avec lui, même s'il prenait toujours le temps de me présenter. Rien n'y faisait. La nouvelle trudeaumanie se manifestait déjà, là, sous mes yeux. Malgré cela, le soir de l'élection, il a bien fallu se rendre à l'évidence : un vent de changement soufflait, et Mulcair remporta la mise grâce aux voix des indépendantistes.

J'ai par la suite gardé le contact avec Dion et le Parti libéral. En avril 2014, je me suis joint au Conseil consultatif sur les relations internationales de Trudeau. Cela m'a donné l'occasion de le revoir et de promouvoir mes idées sur l'Afrique, le maintien de la paix et le multilatéralisme.

Le ministère m'était familier. Dès 1985, et pendant trente ans, j'ai fait la connaissance de dizaines, sinon de centaines de diplomates et fonctionnaires des Affaires étrangères, et ce, en ma qualité de journaliste au quotidien *Le Devoir* ou de directeur de deux centres de recherche, le bureau de Montréal du Centre Pearson pour le maintien de la paix, puis le Réseau francophone de recherche sur les opérations de paix que j'ai fondé au sein de l'Université de Montréal. Ces relations m'ont servi.

Durant mon passage au bureau du ministre, j'ai croisé chaque jour une connaissance dans les corridors du ministère ou dans une de nos missions à l'étranger. Cette proximité a facilité grandement les choses lorsque je devais discuter de certains dossiers. Officiellement, les employés politiques du bureau du ministre ne peuvent entrer en contact avec les fonctionnaires qu'à travers la direction de la liaison entre le bureau et le ministère. C'est une façon d'empêcher le personnel politique d'influencer directement les fonctionnaires. Dans la réalité, un conseiller politique peut parler à un fonctionnaire s'il le croise dans un ascenseur ou à la cafétéria du ministère. Je n'ai pas hésité une minute à utiliser mon immense réseau au sein du ministère pour faire progresser certains dossiers.

· · ·

Durant la campagne électorale, Trudeau promet de faire du Canada un acteur constructif et incontournable sur la scène internationale. Au lendemain de son élection, le nouveau premier ministre répète le même message à tous ses interlocuteurs étrangers : le Canada est de retour. Cela passe par une diplomatie tous azimuts destinée à conforter la place du pays sur l'échiquier mondial : relancer les relations avec les États-Unis ; renouer avec la Russie et l'Iran ; assurer la sécurité de l'Arctique et protéger son environnement; participer aux opérations de paix de l'ONU; changer de ton dans l'approche du conflit israélo-palestinien; proposer de nouvelles pistes en matière de désarmement; approfondir la relation avec la Chine; rassurer les pays d'Europe de l'Est quant à la détermination de l'OTAN à garantir leur sécurité par rapport à la Russie; reformater la participation canadienne à la lutte contre l'État islamique en Irak et en Syrie.

Dion est là pour donner corps à ce programme. Comme la majorité des politiciens à Ottawa, il adhère à l'«internationalisme libéral». Dion baigne dans cet environnement idéologique depuis ses études de science politique à l'Université Laval. À titre de ministre au sein des gouvernements Chrétien et Martin, il en apprécie toutes les vertus pour le Canada et pour le monde.

À l'époque, l'internationalisme libéral reprend des couleurs grâce au ministre des Affaires étrangères, Lloyd Axworthy. Celui-ci popularise le concept de sécurité humaine développé par l'ONU et dont la philosophie repose sur les individus et leur sécurité[54]. Ainsi, le Canada propose à la communauté internationale un train de mesures visant à renforcer la protection des droits de la personne et la sécurité des individus. Coup sur coup, la majorité des États membres de l'ONU a ratifié en 1997 et en 1998 la Convention d'Ottawa sur l'interdiction des mines antipersonnel et le traité créant la Cour pénale internationale, mandatée pour juger les personnes accusées de génocide, de crimes de guerre et de crimes contre l'humanité.

En 2001, le Canada se fait le champion du concept de responsabilité de protéger qui, sans avoir de force légale, rappelle

---

54. Nossal *et al.*, p. 270.

à la communauté internationale qu'elle peut, et, parfois doit, intervenir afin de réprimer les violations massives des droits de la personne commises dans un État lorsque celui-ci ne peut pas ou ne veut pas le faire. C'est aussi à ce moment que, en 2003, le Canada refuse d'appuyer une action armée contre l'Irak par les forces américaines et britanniques sans l'autorisation du Conseil de sécurité de l'ONU.

Dion s'inscrit dans cette tradition. Après neuf années de règne conservateur où le gouvernement relègue aux oubliettes les idéaux de l'internationalisme libéral, le ministre veut les faire revivre tout en tenant compte des nouvelles réalités internationales. Le contexte mondial évolue sans cesse depuis l'époque d'Axworthy. Les attentats du 11 septembre 2001 révèlent l'existence de groupes terroristes islamistes puissants et organisés, en mesure de frapper n'importe où sur la planète. La Chine émerge comme superpuissance, et la Russie agit parfois brutalement pour retrouver son statut de puissance. Les interventions militaires occidentales en Afghanistan, en Irak et en Libye n'apportent pas les solutions espérées, et il arrive même qu'elles aggravent la situation. Les difficultés économiques, l'absence de démocratie et les violences religieuses, ethniques et identitaires déstabilisent des régions entières d'Afrique et du Proche-Orient et provoquent des mouvements de populations jamais vus depuis la Seconde Guerre mondiale. La montée du populisme en Occident menace les fondements mêmes de la démocratie libérale.

Ce contexte international préoccupe le nouveau ministre. Nous en discutons souvent ensemble lorsque nous préparons ses discours. Il veut que la diplomatie canadienne s'attaque à ces facteurs anxiogènes et belligènes, et fasse du pays un architecte résolu de la paix.

Afin de permettre au Canada de naviguer dans ce nouveau monde, Dion réfléchit à une philosophie générale, à une éthique en mesure d'encadrer l'action gouvernementale et de la rendre acceptable pour la population et efficace dans le monde. Dans cet esprit, il poursuit une longue tradition chez les leaders politiques canadiens qui consiste à en appeler à l'éthique, une tradition ancrée dans les idées de l'internationalisme libéral qu'est la promotion de la justice, de la démocratie et de la liberté.

Ainsi, Pierre Elliott Trudeau parle souvent d'éthique. L'ancien premier ministre aspire à un monde où des règles éthiques encadrent l'action des États et de leurs dirigeants. Le fossé grandissant entre le Nord et le Sud, entre l'éclatante richesse des pays industrialisés et la lutte quotidienne des populations des pays en développement pour leur survie, le préoccupe. Vu cette réalité, il invite la communauté internationale à adopter une «nouvelle éthique de la responsabilité, large et universelle[55]» envers les plus démunis, dans deux conférences qu'il prononce en 1974 et en 1975 devant des auditoires américain et britannique. Une éthique, dit-il, «qui abhorre le déséquilibre actuel affectant la condition humaine élémentaire [...][56]». Tout au long de son mandat, il consacre de larges sommes à l'aide au développement et beaucoup d'énergie au rapprochement entre le Nord et le Sud.

Quarante ans plus tard, Dion reprend le flambeau. Et il trouve dans la pensée du sociologue allemand Max Weber une source d'inspiration.

L'œuvre de Weber couvre plusieurs champs de l'activité humaine. En particulier, il s'intéresse à l'action politique et

---

55. Ivan Head et Pierre Trudeau, *The Canadian Way. Shaping Canada's Foreign Policy, 1968-1984*, McClelland & Stewart, 1995, p. 316 (notre traduction).

56. *Ibid.*, p. 317 (notre traduction).

cherche à dégager une éthique propre à cette activité qui est, par essence, conflit entre les hommes ou entre les nations. Weber constate cependant qu'il n'existe pas de principe unificateur parce que :

> toute activité orientée selon l'éthique peut être subordonnée à deux maximes totalement différentes et irréductiblement opposées. Elle peut s'orienter selon l'éthique de la responsabilité ou selon l'éthique de la conviction. Cela ne veut pas dire que l'éthique de conviction est identique à l'absence de responsabilité et l'éthique de responsabilité à l'absence de conviction. Il n'en est évidemment pas question. Toutefois, il y a une opposition abyssale entre l'attitude de celui qui agit selon les maximes de l'éthique de conviction – dans un langage religieux nous dirions : « Le chrétien fait son devoir et en ce qui concerne le résultat de l'action il s'en remet à Dieu » –, et l'attitude de celui qui agit selon l'éthique de responsabilité qui dit : « Nous devons répondre des conséquences prévisibles de nos actes. »[57]

En deux mots, les partisans de l'éthique de conviction agissent en doctrinaires et ceux de l'éthique de responsabilité évoluent dans la réalité et assument leurs actes.

Les attitudes des uns et des autres peuvent-elles être réconciliées lorsqu'il s'agit d'interagir avec le monde ? Grand lecteur de Weber, Dion hésite. Dans un de ses premiers discours prononcés à titre de ministre des Affaires étrangères en janvier 2016, il marque la distinction entre les deux éthiques. Il pense que « les dirigeants politiques devraient être guidés par l'éthique de la responsabilité, par opposition à l'éthique de la conviction[58] ».

---

57. Max Weber, *Le savant et le politique*, Éditions 10/18, 2002, p. 206.
58. *Établir une politique étrangère pour l'avenir du Canada*, discours du ministre Dion au Forum d'Ottawa 2016, 28 janvier 2016.

Deux mois plus tard, en mars, il estime possible de marier les deux éthiques afin de forger un principe directeur pour l'action politique. Il en fait la démonstration lors d'un discours public à l'Université d'Ottawa où il s'exprime devant un parterre de juristes. C'est la première fois que le ministre présente les grandes orientations du gouvernement en matière de politique étrangère et il le fait avec le souci du détail et l'intention de leur donner une assise intellectuelle forte. Il me demande de relire le texte de Weber où celui-ci s'exprime sur les deux éthiques et de lui transmettre une première version du discours avec des éléments sur nos politiques concernant la Russie, l'Iran et les ventes de véhicules militaires à l'Arabie saoudite. Le discours met quelques jours à prendre forme, car il passe entre plusieurs mains. Finalement, la veille de la conférence, il est fin prêt.

Weber, dit le ministre, ne prétend pas « que les tenants de l'éthique de la responsabilité manquaient de convictions. Mais puisque c'est ainsi qu'il est souvent mal interprété, je préfère sortir de sa distinction pour forger un concept plus syncrétique : l'éthique de la conviction responsable[59] ». Ce concept, poursuit le ministre, « indique que mes valeurs et mes convictions comportent un sens des responsabilités. Ne pas tenir compte des conséquences sur autrui de mes paroles et de mes actes serait contraire à mes convictions ». Le concept rappelle l'importance des convictions dans toute entreprise politique tout en les conjuguant avec le sens des responsabilités, sans quoi rien n'est possible dans ce monde. Il s'applique aussi bien aux affaires nationales qu'internationales.

---

59. *Le Canada sur la scène internationale : nouveaux défis, nouvelles approches*, discours du ministre Dion, 29 mars 2016.

Mais la «conviction responsable» sert-elle à justifier l'injusti-fiable? La question n'a rien de théorique. Quelques mois avant de perdre le pouvoir, le gouvernement conservateur autorisait la vente de véhicules militaires à l'Arabie saoudite, dont le bilan en matière de respect des droits de la personne est l'un des pires au monde. Pendant la campagne électorale, tous les grands partis avaient promis de respecter le contrat de 15 milliards de dollars.

La législation canadienne en matière d'exportation d'armes vers des régimes soupçonnés de violer les droits de la personne est stricte : le gouvernement canadien se réserve le droit d'annu-ler le contrat à tout moment si la preuve est fournie que le des-tinataire utilise ces armes dans des opérations militaires où les droits de la personne sont violés.

Le nouveau gouvernement libéral émet donc les certificats d'exportation des véhicules sur la foi qu'ils ne seront pas employés pour réprimer la population. Dion explique que le contrat passe le test de la «conviction responsable». Et, dit le ministre, son concept, son principe directeur, ne doit pas être confondu «avec je ne sais trop quel relativisme moral». Au contraire, avec un tel principe, le Canada est mieux à même de formuler sa politique étrangère en tenant compte tant de la morale que des intérêts économiques et géopolitiques.

La «conviction responsable» guide aussi la méthode promue par Dion pour atteindre son objectif consistant à ériger le Canada en architecte de paix : l'engagement diplomatique. Dion rejette la politique de l'isolement. «C'est souvent une erreur que de couper les ponts avec un régime qui nous déplaît, dit-il. Au contraire, il faut échanger franchement avec lui et lui exprimer clairement nos convictions dans le but d'obtenir un change-ment positif.»

Il prend l'exemple des relations entre le Canada et l'Union soviétique dans les années quatre-vingt. Avec une politique de désengagement à la Harper, dit Dion, « il aurait été impossible d'inviter le jeune Mikhaïl Gorbatchev au Canada en 1983 » afin que ce dernier découvre lors de sa visite en Ontario et en Alberta « l'inefficacité considérable du système agricole soviétique comparativement au nôtre ». Il cite aussi l'exemple de Cuba. Dans un de ses derniers discours, consacré à la situation dans ce pays après la mort de Fidel Castro, il revient à la charge et défend avec fougue la politique d'engagement suivie par tous les gouvernements canadiens après la révolution de 1959. La politique « d'engagement constructif » envers Cuba, dit le ministre aux parlementaires à l'occasion d'un débat à la Chambre des communes, permet au Canada d'être « un interlocuteur crédible et influent qui a la capacité d'encourager Cuba à accélérer ses réformes économiques et politiques[60] ».

La position de Dion pour le dialogue et contre l'isolement s'inscrit en toute cohérence dans la politique étrangère canadienne menée depuis 1945 par tous les gouvernements à l'exception de celui de Stephen Harper. Les exemples sont nombreux. Au moment de la guerre de Corée en 1950-1953, qui oppose les camps soviétique et américain, une des préoccupations centrales de Lester B. Pearson, alors ministre des Affaires étrangères, est d'éviter la destruction du système multilatéral en s'assurant « de conserver les États-Unis au sein de l'ONU et l'ONU au sein des États-Unis : il importait également de conserver l'Union soviétique au sein de l'ONU[61] ».

---

60. Chambre des communes, *Journal des débats*, vol. 148, n° 119, 1er décembre 2016.

61. Geoffrey A. H. Pearson, *Seize the Day, Lester B. Pearson and Crisis Diplomacy*, Carleton University Press, 1993, p. 79 (notre traduction).

Le premier ministre conservateur John Diefenbaker agit de même lorsque la question de l'apartheid en Afrique du Sud divise les membres du Commonwealth. Il travaille avec succès à réduire le fossé «entre les membres afro-asiatiques, d'une part, et l'Angleterre, l'Australie et la Nouvelle-Zélande, de l'autre», et évite ainsi l'éclatement de l'organisation[62].

· · ·

Les spécialistes considèrent le Canada comme une puissance moyenne dans le système international. Ce statut géopolitique est le résultat du développement économique, social et diplomatique du pays depuis le début du XXe siècle. Le commerce avec l'Empire britannique, puis avec les États-Unis, l'absence de conflit, le peuplement du territoire par des vagues successives d'immigrants éduqués et industrieux, et le choix de s'engager dans le monde à travers le multilatéralisme contribuent à la naissance et au renforcement de ce statut. Et la seule façon de le maintenir est par le déploiement d'une diplomatie très active.

«L'un des principaux traits du comportement des puissances moyennes réside dans leur propension à adopter des politiques qui visent à renforcer la stabilité du système international, considérée comme essentielle à leur prospérité et à leur sécurité[63]», écrivent des spécialistes en relations internationales. Et cela trouve toute sa signification pour le Canada, situé entre les États-Unis au sud et l'Union soviétique redevenue Russie au nord. Toutes les initiatives diplomatiques prises par Lester B. Pearson, John Diefenbaker, Pierre Elliott Trudeau, Brian Mulroney et Jean Chrétien depuis 1945 visent à atténuer ou à

---

62. Nossal *et al.*, p. 331.
63. *Ibid.*, p. 116.

régler les conflits entre l'Est et l'Ouest, mais aussi au sein même du camp occidental, par exemple lors de la crise de Suez en 1956 qui oppose, d'une part, la France et le Royaume-Uni et, d'autre part, les États-Unis et le Canada.

Comment le nouveau gouvernement libéral peut-il se réinscrire dans cette trame après la parenthèse conservatrice et faire du Canada un architecte résolu de la paix ? Dion expose sa démarche dans deux grands discours prononcés à Québec et à Montréal en mai et en octobre 2016. Cette démarche repose sur des bases solides. En effet, les Canadiens demeurent très attachés à l'ONU, aux Casques bleus, à la diplomatie comme le démontre l'étude publiée par Roland Paris à l'automne 2014[64].

À Québec, devant un parterre d'anciens ministres des Affaires étrangères, d'universitaires, de chercheurs et d'étudiants, le ministre pose d'abord un diagnostic sur l'état actuel de la situation internationale. « Tout n'est pas sombre[65] », dit-il en ouverture de son discours. Et de citer l'accord nucléaire entre l'Iran et la communauté internationale, le rétablissement des relations diplomatiques entre Washington et La Havane, le retour de la démocratie au Myanmar et en Tunisie, l'Accord de Paris sur les changements climatiques. Ce sont les bonnes nouvelles ; il y en a de moins bonnes.

Le ministre identifie trois formes de menaces auxquelles le monde fait face. La première prend la forme « des conflits géopolitiques classiques, liés à la convoitise de territoires et de ressources, et au choc des ambitions nationales ». La deuxième est ce qu'il

---

64. Roland Paris, « Are Canadians still liberal internationalists ? Foreign policy and public opinion in the Harper era », *op. cit.*

65. Discours du ministre Dion à l'occasion de la 2ᵉ édition du Forum St-Laurent sur la sécurité internationale, 6 mai 2016.

appelle «le syndrome de la méfiance». «Des communautés, des populations qui cohabitaient auparavant de façon pacifique [...], en sont venues à se craindre, à se détester et à s'attaquer mutuellement. [...] Lorsque le voisin, le réfugié ou un autre étranger est marginalisé ou persécuté à cause de sa différence politique, religieuse, ethnique ou raciale, alors tous les ingrédients sont réunis pour aviver la méfiance et faire éclater les tensions», dit-il. Ce syndrome est visible sous nos yeux, tous les jours, et produit ses effets délétères sur la planète entière, du Darfour au Mali, de l'Afghanistan au Yémen. Enfin, la troisième source d'instabilité est «la crise des écosystèmes, dont les changements climatiques et l'accès à l'eau potable sont les manifestations les plus criantes».

Le Canada ne peut ignorer ces tensions, ces menaces ou ces conflits. Dans le cas du syndrome de la méfiance, il a même une responsabilité particulière de par son histoire, sa culture, sa diversité. Il faut «démontrer, en paroles et en actes, que la diversité doit être considérée comme un atout pour l'humanité, et non comme une menace. [...] Nous devons être les champions de la diversité», dit-il à l'auditoire.

À Montréal, quelques mois plus tard, le ministre détaille un peu plus les moyens qu'entend mettre le Canada à la disposition de la communauté internationale afin d'assurer la paix mondiale. Dans ce discours, il insiste sur la volonté du gouvernement de réengager le pays dans les opérations de paix de l'ONU[66]. Ces opérations sont un des outils dont la communauté internationale dispose pour gérer ou régler les conflits. Elles s'incarnent dans la figure du Casque bleu, le soldat de l'ONU inventé par Pearson en 1956 lors de la crise de Suez. Pour le Canada, l'ONU est un des

---

66. Discours du ministre devant le Conseil des relations internationales de Montréal, 17 octobre 2016.

maillons du système de sécurité international auquel il participe. L'alliance militaire, politique et économique avec les États-Unis et l'intégration à l'OTAN sont les deux autres.

Les Casques bleus façonnent l'identité canadienne depuis longtemps, et les Canadiens y sont attachés, comme le démontre l'étude de Paris citée ci-dessus[67]. Les libéraux en sont conscients. En août 2016, quelques semaines avant le discours de Montréal, le gouvernement dévoile sa politique de réengagement dans les opérations de paix. Je participe à la réflexion sur le sujet et à la rédaction de la politique qui en découle. Celle-ci se veut à l'écoute des nouvelles réalités des conflits. Le maintien de la paix, comme conçu par Pearson, où l'ONU déploie ses troupes entre deux États, laisse dorénavant la place à des interventions au sein même des États afin d'atténuer le conflit, de protéger les civils, de rétablir les services, d'organiser des élections et de reconstruire des États. Une tâche gigantesque qui n'est pas sans danger. Certains groupes, rebelles ou terroristes, sabotent les processus de paix et n'hésitent pas à s'en prendre aux civils, voire aux Casques bleus. L'ONU adapte les mandats des missions en conséquence. Les Casques bleus peuvent désormais user de la force pour maintenir la paix.

La nouvelle politique confirme la volonté du gouvernement de déployer jusqu'à six cents militaires spécialisés – ce dont l'ONU a le plus besoin – partout sur la planète et annonce la création d'un programme de 450 millions de dollars sur trois ans pour la stabilisation et les opérations de paix, et destiné à financer des initiatives visant à prévenir les conflits, à consolider la paix, à renforcer les capacités des États fragiles et à protéger les plus vulnérables lors des

---

67. Voir aussi à ce sujet le livre de Jean-François Caron, *Affirmation identitaire du Canada. Politique étrangère et nationalisme*, Athéna éditions, 2014.

conflits: les femmes, les enfants et les réfugiés. Ces mesures sont ambitieuses et s'ajoutent à la contribution obligatoire de quelque 250 millions de dollars que le Canada verse annuellement pour financer les opérations de paix de l'ONU.

Dion rappelle à son auditoire que ce retour aux opérations de paix n'est pas une simple affaire d'altruisme pour le Canada: «Nous revenons dans les opérations de paix non seulement parce que les Canadiens veulent être présents là où il faut défendre la paix et protéger les civils, mais aussi parce qu'il en va de l'intérêt national du Canada.» La déstabilisation de sociétés entières comme le Mali, la République centrafricaine, le Darfour, le Soudan du Sud, la Somalie, la Syrie et l'Irak pose un risque sécuritaire non seulement pour l'Afrique et le Proche-Orient, mais aussi pour l'Europe et, par voie de conséquence, pour l'Amérique du Nord. Il est donc impératif de participer à l'effort visant à régler les conflits en appuyant toutes les initiatives tendant vers cet objectif.

· · ·

Pendant tout son mandat, Dion prononce vingt-six grands discours où il trace les lignes de force d'une politique étrangère libérale et internationaliste. Pour l'encadrer, il forge un principe directeur, la «conviction responsable», et adopte une méthode, l'engagement diplomatique, afin d'atteindre un des objectifs qui lui tient à cœur, faire du Canada un architecte résolu de la paix. Il réunit une équipe de conseillers. Il a une vision. Il lui faut maintenant du temps pour mettre en œuvre cette politique. Le premier ministre ne lui en donne pas. Il lui coupe les ailes et met brutalement fin à ses espérances en le congédiant.

Chapitre cinq

La chute du ministre

Au cours des quatorze mois où Stéphane Dion occupe le poste de ministre des Affaires étrangères, il ne rencontre pas une seule fois le premier ministre Trudeau en tête-à-tête afin de discuter de la politique étrangère du Canada. John Baird, l'ancien ministre de Stephen Harper, avait un tout autre rapport avec son patron[68]. Il rencontrait régulièrement le premier ministre et il n'hésitait pas à lui téléphoner le week-end pour discuter de certains dossiers. Les échanges étaient parfois vigoureux.

En France, au moment de la présidence de François Hollande, son ministre des Affaires étrangères, Laurent Fabius, prenait le petit-déjeuner avec lui tous les mardis à 8 h 30 afin de faire le point sur les affaires du monde[69]. La France, il est vrai, prend très au sérieux la politique étrangère et nourrit des ambitions planétaires.

Dion ne cherche pas à copier le modèle français. En fait, tout au long de son mandat, le ministre demande à plusieurs reprises

---

68. Entretien téléphonique avec l'auteur, 17 janvier 2018.
69. Marc Semo, « Laurent Fabius, pédagogue de la diplomatie hollandiste », *Le Monde*, 17 novembre 2016.

l'organisation d'une seule rencontre afin de discuter en profondeur des grandes orientations de la politique étrangère. À titre de ministre, c'est lui qui doit articuler le retour du Canada sur la scène internationale, retour tant souhaité par le premier ministre pendant la campagne électorale et décrit en détail dans la *Lettre de mandat* que le ministre reçoit de Trudeau au lendemain de son assermentation en novembre 2015[70]. Il cherche l'écoute et l'assentiment de Trudeau. Étrangement, toutes les tentatives pour organiser un rendez-vous échouent. Les raisons officielles sont multiples : conflits d'horaires, calendriers chargés, voyages, mauvaises communications.

L'histoire de ce rendez-vous manqué est difficile à décrypter. Une chose demeure : le premier ministre ne manifeste jamais une envie débordante de rencontrer son ministre. Pourquoi ? Je formule une hypothèse : l'explication se trouve au confluent de la psychologie et de la politique. Afin de comprendre, il faut remonter le fil du temps, examiner le passé et le présent, et analyser le comportement de l'un et de l'autre.

· · ·

Lorsque Dion entre en politique, ses interlocuteurs font face à un homme entier : il est franc, direct et sans artifice. Eddie Goldenberg, conseiller de Jean Chrétien, est le premier à en faire l'expérience. Chrétien demande à Goldenberg de rencontrer Dion et de lui donner ensuite son avis avant qu'il le nomme ministre. Le conseiller téléphone à Dion pour l'inviter chez lui à Ottawa. Dès les premières phrases, Dion frappe : « Vous êtes

---

70. *Lettre de mandat du ministre des Affaires étrangères*, Bureau du premier ministre du Canada, novembre 2015.

apparemment un trudeauiste de la vieille école, centralisateur et parfaitement intransigeant[71]. » Cette entrée en matière déstabilise Goldenberg. Les deux hommes se voient et discutent plusieurs heures. Après la rencontre, Chrétien, alors en voyage en Asie, téléphone à son conseiller pour lui demander des nouvelles. « Votre choix sera soit un succès retentissant, soit un échec monumental, sans entre-deux, répond-il. Je n'ai aucune idée de ce que ça donnera[72]. »

Le premier ministre ne se formalise pas de ce jugement, bien au contraire. Non seulement il apprécie le style de Dion, mais il fait une chose qui va à l'encontre des règles qu'il se fixe dans ses rapports avec ses ministres : il se lie d'amitié avec lui. Rapidement après l'entrée en fonction de Dion, une belle connivence s'installe entre eux. « Avant peu, je me suis rapproché de lui plus que d'aucun de mes ministres, écrit Chrétien. J'avais pourtant suivi l'exemple de Trudeau, qui ne témoignait jamais de préférence à tel collègue ou à telle clique du cabinet parce que ça crée des jalousies et des complications. Dion a été l'exception qui a confirmé la règle[73]. »

Cette amitié, elle se prolonge même entre les deux familles, qui se fréquentent régulièrement. Fait rare, Chrétien invite Dion à la résidence d'été des premiers ministres du lac Harrington parce que le ministre aime la pêche. Ils y passent des après-midi et des soirées entières à discuter des affaires de l'État. La proximité des deux hommes étonne l'entourage du premier ministre. Goldenberg témoigne de cette relation exceptionnelle.

---

71. Eddie Goldenberg, *Comment ça marche à Ottawa*, Éditions Fides, 2007, p. 238.
72. *Ibid.*, p. 239.
73. Jean Chrétien, *op. cit.*, p. 175.

« Ils luttent coude à coude [...], écrit-il. Au contraire des autres ministres, [Dion] passe beaucoup de temps seul avec Chrétien, aussi bien en tête-à-tête qu'au téléphone[74]. »

La crise politique et constitutionnelle issue de la très mince victoire des fédéralistes au référendum québécois d'octobre 1995 explique l'intensité de la relation entre Chrétien et son ministre responsable de l'unité canadienne. Mais il y a plus. Le premier ministre admire la stature intellectuelle et le courage politique de Dion dans son combat contre les indépendantistes[75]. Une autre personne, plus réservée, moins batailleuse, n'aurait pas suscité une telle amitié.

• • •

Jamais Trudeau et Dion n'entretiennent une telle relation. En fait, dès leurs premiers contacts, le courant ne passe pas, ou si peu. Certes, Trudeau manifeste son admiration pour Dion dans son autobiographie, *Terrain d'entente*. En particulier, il apprécie son côté réfléchi et sa capacité « à résoudre des questions complexes[76] ». Mais au-delà des propos convenus qu'une autobiographie impose parfois transparaît une pointe de dépit envers Dion, particulièrement lorsque Trudeau se lance en politique.

Lors de la course à la chefferie libérale en décembre 2006, Trudeau se range derrière Dion, mais ce n'est pas son premier choix. Quelques semaines plus tard, le retrait de la vie politique de Jean Lapierre, député d'Outremont, offre une occasion à Trudeau de sauter dans l'arène politique. Il parle au chef de son intérêt pour cette circonscription où il habite et où sont ses

---

74. Eddie Goldenberg, *op. cit.*, p. 248.
75. Jean Chrétien, *op. cit.*, p. 176 ; Goldenberg, *op. cit.*, p. 148-150.
76. Justin Trudeau, *op. cit.*, p. 192.

racines familiales, mais se heurte à une réponse glaciale : Dion ne fait rien pour l'imposer dans cette circonscription. L'association libérale d'Outremont s'oppose « avec véhémence à la rumeur même de ma candidature, et [...] le bureau du chef n'était pas chaud à l'idée non plus[77] », écrit-il.

Pire encore, lorsqu'il cherche du côté de Papineau, la circonscription adjacente à Outremont, « les membres de l'entourage de Dion m'ont indiqué que Papineau n'était pas l'endroit pour moi non plus, car ils réservaient la circonscription pour une candidate "ethnique"[78] ». Trudeau revient à la charge et approche l'équipe du leader libéral pour en avoir le cœur net et pour savoir quoi dire aux journalistes si ceux-ci le contactent. « La réponse qu'on m'a donnée était assez directe, et un peu méprisante : ils m'ont dit de répondre aux questions des journalistes comme j'en avais envie[79] », écrit-il. Cette fois, Trudeau ne se laisse pas décourager. Comme prévu, les journalistes le contactent et il leur annonce qu'il se présente officiellement dans Papineau. Dion, surpris, fait bonne figure et salue publiquement le courage de Trudeau, mais, en arrière-plan, « les membres de son entourage étaient furieux contre moi[80] ». Trudeau comprend rapidement que le « bureau du chef » et le « chef », c'est la même chose. Malgré tous les obstacles, il remporte l'investiture libérale dans Papineau.

Dans son autobiographie, il décoche une flèche au Parti libéral et au leadership de Dion. Tout cet épisode « a été pour moi une introduction difficile, mais éclairante quant au fonctionnement

---

77. *Ibid.*, p. 195.
78. *Ibid.*, p. 197.
79. *Ibid.*, p. 198.
80. *Ibid.*, p. 199.

du Parti libéral du Canada où les querelles internes, les objectifs personnels et le manque de cohérence étaient trop présents[81] ».

Élu aux élections générales de 2008, Trudeau ne dit mot de sa relation avec Dion pendant les années d'opposition. Il s'applique à apprendre son métier de député. Être relégué dans l'opposition offre peu d'occasions de se faire valoir, et c'est d'autant plus vrai que le Parti libéral doit se trouver un nouveau chef après la démission de Dion. Trudeau se tient à distance. Le moment n'est pas venu de sauter dans l'arène. Michael Ignatieff, professeur à l'Université Harvard et intellectuel mondialement connu, candidat à la chefferie en 2006, revient en piste. Il succède à Dion en mai 2009, mais il mène le parti libéral à sa pire défaite électorale en cent quarante ans lors des élections de 2011. Le parti est en morceaux et se cherche un nouvel espoir. Tous les yeux se tournent vers Justin Trudeau. Il se présente et est finalement élu chef en 2013.

· · ·

Lorsque Dion accède au cabinet en novembre 2015, Trudeau connaît la réputation de son nouveau ministre. Dion est plus qu'un batailleur et un redoutable orateur. C'est un homme d'idées, pointilleux sur les détails. Il argumente sans cesse. Ancien ministre dans les cabinets Chrétien et Martin, il est le premier de la classe. « Personne ne connaît mieux que Dion les rouages du cabinet, personne ne sait mieux forger des alliances avec ses collègues, et aucun ministre n'est plus respecté de ses homologues[82] », écrit Goldenberg.

---

81. *Ibid.*, p. 199.
82. Eddie Goldenberg, *op. cit.*, p. 239.

Avant de se rendre au conseil des ministres, il lit tout : ses dossiers comme ceux de ses collègues. « Nul n'est mieux préparé à débattre d'un large éventail de questions allant bien au-delà de l'unité nationale, de sorte que, lorsqu'il prend la parole, ses vis-à-vis posent leur tasse de café, arrêtent de signer leur correspondance et l'écoutent attentivement[83] », poursuit Goldenberg. Il discute en profondeur des dossiers relevant d'autres collègues et, à l'occasion, il se permet de les corriger. Cette propension à tout connaître et à faire la leçon, honorable en soit lorsqu'elle est mise au service de l'État, en exaspère plus d'un. Un ancien conseiller de Chrétien me confie qu'à l'époque certains ministres sont terrorisés à la seule idée que Dion peut les reprendre en plein conseil. Chrétien s'amuse de tout cela, d'autant plus qu'il s'entoure de ministres à la personnalité très forte, qui savent se défendre.

Avec Trudeau, le comportement de Dion ne passe pas. Le conseil des ministres se compose majoritairement de nouvelles recrues sans expérience politique. Ce sont pour la plupart des créatures de Trudeau. Dion, lui, domine le groupe par son expérience ministérielle et sa stature intellectuelle. Lors de séances du Cabinet ou de comités du cabinet[84], il croise le fer avec plusieurs ministres, au point, dit la rumeur à Ottawa, d'en faire pleurer certains. Le premier ministre s'irrite. Il a sans doute le sentiment que Dion se comporte en premier ministre « bis » et profite de son inexpérience.

Sur le plan de l'élaboration des politiques, Dion se trouve dans une position délicate. Il demande constamment à rencontrer le premier ministre afin de discuter des grandes orientations de

---

83. *Ibid.*, p. 239.
84. Le Cabinet réunit l'ensemble des ministres alors que les comités du cabinet réunissent les ministres s'intéressant à un dossier.

politique étrangère. La plateforme électorale du parti et la *Lettre de mandat* du ministre offrent quelques indications sur les orientations gouvernementales, mais les responsabilités du pouvoir exigent un cadrage des priorités pour que les Canadiens et le reste du monde comprennent où va le pays sur la scène internationale.

Comme ses demandes restent sans réponse, le ministre Dion décide de passer à l'action. Dès mars 2016, il commence à prononcer une série de discours où il explicite sa démarche intellectuelle – la conviction responsable – et sa méthode – l'engagement diplomatique – afin d'atteindre un des objectifs de la diplomatie canadienne : faire du pays un architecte résolu de la paix. Quelques-uns de ses conseillers politiques et le conseiller diplomatique du premier ministre, Roland Paris, ne sont pas très enthousiastes quant au concept de « conviction responsable » et hésitent devant sa volonté de cadrer la politique étrangère avant même d'en parler avec le premier ministre.

Je suis de ceux qui le poussent à agir. Il est ministre des Affaires étrangères et il ne peut rester dans son bureau à attendre. Si le discours sur la « conviction responsable », prononcé le 29 mars 2016 à l'Université d'Ottawa, reçoit le feu vert du bureau du premier ministre, il n'en va pas de même pour le prochain, prononcé à Québec, en mai, et qui provoque un affrontement entre le ministre et Paris.

Le ministre veut profiter de la tribune que lui offre le Forum St-Laurent sur la sécurité internationale pour présenter la contribution canadienne à ce sujet. Comme je suis chargé d'écrire le discours, je consulte le directeur des politiques, Christopher Berzins, et présente au ministre une note de service de trois pages où je résume les thèmes qu'il doit aborder. Il me donne le feu vert pour la rédaction même. Le discours met l'accent sur les foyers d'insécurité actuels et les mesures que le Canada entend prendre pour y faire face. La facture du texte est classique et s'inscrit très bien dans l'idéologie de l'internationalisme libéral si chère à Trudeau. Paris en prend connaissance. Le texte provoque visiblement des vagues, au point où le conseiller diplomatique du premier ministre demande une rencontre avec Dion.

Le 3 mai, à quelques jours de l'intervention du ministre à Québec, Dion et son équipe reçoivent Paris au bureau du ministre sur la colline parlementaire. Il y a de l'orage dans l'air lorsque Paris ouvre la conversation. Il craint que les médias perçoivent le discours comme le cadre général de la politique étrangère du gouvernement alors que, dit-il, le premier ministre ne s'est «pas encore fait une tête» sur les grandes orientations de sa diplomatie. Dion réplique qu'il demande depuis des mois à rencontrer le premier ministre et que, entre-temps, il doit donner corps à la diplomatie canadienne. Il rappelle à Paris que ce discours ne sort pas de l'ordinaire. Ce n'est pas la lecture du bureau du premier ministre.

Paris avoue que la rencontre avec Trudeau aurait dû avoir lieu depuis longtemps et qu'il travaille à l'organiser. Il suggère à Dion de se limiter à dresser la liste des réalisations depuis l'élection du Parti libéral. Dion refuse net. Il n'est pas là pour rappeler les annonces. Il veut parler du présent et de l'avenir. Paris propose au ministre une version annotée de son discours en lui recommandant d'en tenir compte. Dion me remet le document afin que j'intègre les commentaires du conseiller. Comme il se fait tard et que la conversation s'échauffe, je propose à tous de relire le discours à tête reposée et d'en reparler le lendemain.

Dion travaille sur une nouvelle version pendant la nuit. À 6 h 30, je reçois un courriel du ministre me demandant de lui téléphoner. Nous effectuons les derniers réglages. Dion achemine le texte au bureau de Paris qui propose deux ou trois ajustements. Le ministre les accepte. La crise se termine. Mais est-ce le cas ?

· · ·

Un ministre agit comme paratonnerre pour le premier ministre. Dans les dossiers difficiles, il encaisse des coups, défend des mesures impopulaires, Dion comme les autres. Au cours de son mandat de quatorze mois, jamais sans doute un ministre des Affaires étrangères n'est autant sur la sellette. Tous les jours où la Chambre des communes siège, il doit répondre à des questions sur la stratégie canadienne contre l'État islamique, sur le sort des Yazidis en Irak, sur le réengagement du Canada dans le multilatéralisme, sur la pertinence de maintenir ou non le Bureau sur les libertés religieuses créé par les conservateurs, sur les relations avec l'Iran, sur la crise en Ukraine. Il doit même défendre l'indéfendable : le vibrant hommage rendu par Trudeau à Castro le jour de sa mort et qui provoque des réactions indignées, même aux États-Unis.

Un dossier lui colle à la peau, le poursuit quotidiennement : celui de la vente de véhicules blindés à l'Arabie saoudite. En 2014, le gouvernement conservateur appuie la vente de véhicules blindés par General Dynamics Land Systems à l'Arabie saoudite. On estime que ce contrat de 15 milliards de dollars et d'une durée de quatorze ans permettra de créer et de maintenir plus de trois mille emplois au Canada, principalement dans la région de London, en Ontario. Cette vente tombe à un mauvais moment dans les relations canado-saoudiennes. La famille d'un blogueur saoudien, Raif Badawi, condamné à la prison et à la flagellation publique pour apostasie et insulte à l'islam, habite au Canada et attire constamment l'attention de l'opinion publique sur son sort. Les organisations de défense des droits de la personne demandent au Canada de suspendre ce contrat jusqu'à la libération du blogueur.

Pendant la campagne électorale, toutefois, les trois principaux partis promettent de respecter le contrat tout en rappelant que le gouvernement a les pouvoirs nécessaires pour bloquer les permis d'exportation de ces véhicules si l'Arabie saoudite contrevient à certaines dispositions de la réglementation sur le contrôle à l'exportation, comme l'utilisation de ces véhicules pour commettre des violations des droits de la personne.

Les médias, principalement anglophones, s'emparent de l'affaire et lui offrent une formidable caisse de résonance. Et les médias font flèche de tout bois. Je suis un des premiers à en faire les frais. Le lundi de Pâques du 28 mars 2016, une journée calme sur le plan politique et médiatique, *The Globe and Mail* titre en première page : *Dion adviser critical of Saudi arms deal*[85] (Un conseiller de Dion désapprouve la vente d'armes aux Saoudiens). Le journaliste met en exergue dans son papier une phrase tirée d'une de mes chroniques dans *La Presse*, écrite quelques semaines avant mon recrutement comme conseiller. Dans ce texte, j'écris qu'il ne faut pas s'attendre à des protestations très fortes de la part des pays occidentaux contre les agissements criminels des Saoudiens sur les droits de la personne ou au sujet de la guerre au Yémen, car « il y a longtemps que l'Arabie saoudite a acheté le silence des Occidentaux par ses juteux contrats

---

85. Steven Chase, « Dion adviser critical of Saudi arms deals », *The Globe and Mail*, 28 mars 2016, p. 1.

civils et militaires[86] ». Dion se porte à ma défense, mais l'opposition en fait ses choux gras.

Malgré les protestations des défenseurs des droits de la personne et un recours devant les tribunaux pour faire déclarer illégale la vente de ces véhicules, Dion autorise en avril l'émission des permis d'exportation sur la foi qu'ils ne serviront pas à commettre des violations des droits de la personne. Il ne convainc personne. Le bilan de l'Arabie saoudite en cette matière est déplorable.

Dion se débat avec ce dossier jusqu'à son congédiement en janvier 2017. Certains l'accusent d'avoir maladroitement communiqué la position du gouvernement. Je n'en crois rien. La nouvelle ministre, Chrystia Freeland, est toujours aux prises avec ce dossier, tiraillée entre la défense des droits de la personne et la protection des intérêts économiques et géopolitiques du pays. Et le premier ministre, celui-là même qui défend le contrat pendant la campagne électorale, vient rarement à la rescousse de Dion.

• • •

À l'été 2016, la rumeur du petit monde politique à Ottawa place Dion sur la touche. On dit que le premier ministre prépare un remaniement qui aura pour résultat de nommer le ministre ambassadeur à Paris. À l'évidence, le bureau du premier ministre est à la manœuvre et passe cette information à quelques journalistes triés sur le volet afin de tester l'opinion. Plus sérieusement, à la fin d'août, Trudeau retire à Dion la présidence du comité ministériel sur l'environnement pour la confier à la ministre du Patrimoine, Mélanie Joly, une politicienne inoffensive et un

---

86. Jocelyn Coulon, « Une autre guerre de Trente Ans ? », *La Presse*, 10 janvier 2016.

poids plume au cabinet. Dion paie là sans doute ses accrochages avec la ministre de l'Environnement, Catherine McKenna, qui, dans le cadre de ce comité, avait déjà proposé une politique semblable à celle des conservateurs. C'est un premier coup de semonce tiré à l'endroit du ministre. L'humiliation est publique pour celui qui a été sous Paul Martin ministre de l'Environnement et promoteur d'un ambitieux programme de lutte contre les changements climatiques.

Autour du ministre, ses conseillers se demandent si ce n'est pas le début de la fin. Le 13 octobre, plusieurs collaborateurs du ministre dînent chez un des conseillers afin de discuter de la situation. Certains remarquent que Dion est nerveux, fatigué, prompt à des mouvements d'humeur. Il s'immerge dans le travail. Le ministre s'intéresse à tout, et les séances de breffage se multiplient à un rythme effréné. Nous estimons que ce tempo n'est pas productif et élaborons un plan pour que le ministre concentre ses énergies sur quatre ou cinq grands dossiers. Quelques jours plus tard, Dion et ses principaux collaborateurs dînent dans un restaurant d'Ottawa. Nous présentons au ministre une liste de priorités à laquelle il consent.

Dion attend toujours sa rencontre avec Trudeau. Lui qui avait accès à Jean Chrétien lorsqu'il le voulait en est réduit depuis un an à faire le pied de grue devant le bureau du premier ministre. Il a la chance de lui parler quelques instants le 29 octobre alors que le premier ministre et ses principaux ministres se rendent à Bruxelles pour signer l'accord de libre-échange avec l'Europe. Je ne suis pas du voyage. Dans l'avion, Dion aborde plusieurs sujets, dont le réengagement avec la Russie. Trudeau est hésitant et rappelle qu'il y a deux tendances au sein du gouvernement sur ce sujet. Selon un témoin de la scène, ce n'est pas une conversation en profondeur, et Trudeau s'irrite de l'insistance de Dion.

À la mi-décembre 2016, quelques jours avant les vacances des fêtes, une plage horaire s'ouvre pour une rencontre en tête-à-tête. Malheureusement, le bureau du ministre fait savoir à l'entourage du premier ministre que Dion a un empêchement, car il doit se rendre à des funérailles. C'est une erreur de communication. Le ministre peut annuler cet engagement. Il demande à une de ses adjointes de contacter le bureau du premier ministre pour arranger ce rendez-vous. Trop tard. Le bureau du premier ministre annonce qu'une rencontre est possible quelque part en janvier.

· · ·

Au début de janvier 2017, Dion vit ses derniers jours comme ministre. Le jeudi 5, je rentre au bureau. Le ministre est en vacances et doit revenir après le week-end. Soudainement, je surprends une conversation. Un proche collaborateur du ministre demande à son chauffeur de se rendre vendredi matin à Montréal pour y récupérer Dion. Le premier ministre veut le rencontrer à 9 h. Cette convocation, me dis-je, n'a rien à voir avec le tête-à-tête demandé par Dion pour discuter des grandes orientations de politique étrangère. Il se passe quelque chose. Je croise un autre collaborateur du ministre et lui demande ce qui est prévu à l'ordre du jour de Dion la semaine prochaine. Il ne sait pas encore, mais il me dit que le sous-ministre, numéro deux du ministère, vient tout juste d'annuler un voyage en Inde pour rester à Ottawa. Cette fois, plus de doute, un remaniement se prépare.

Le vendredi matin 6 janvier, Dion se rend au bureau du premier ministre. J'imagine dans quel état il se trouve. Depuis des semaines, il est nerveux et inquiet, comme s'il sentait la fin toute proche. Eh bien, elle est arrivée. La rencontre avec Trudeau dure cinq minutes. Le premier ministre lui signifie son congédiement et lui offre une double ambassade en Europe (Allemagne et Union européenne), une idée stupide et improvisée par l'entourage de Trudeau qui soulève les sarcasmes aux Affaires étrangères et l'indignation de l'Union européenne et de Berlin[87]. Dion demande pourquoi ce congédiement. Trudeau répond qu'il faut du changement. Du changement ! Tiens, ce mot lui est familier… En décembre 2003, Paul Martin remplaçait Jean Chrétien comme premier ministre et commençait à constituer son conseil des ministres. Dion lui avait demandé s'il y avait une place pour lui. Martin avait répondu, indécis : « C'est peu probable[88]. » Mais « pourquoi ? » avait relancé Dion. « Parce que nous devons nous renouveler, avait dit Martin. Nous avons un besoin trop important de renouvellement. »

Le premier ministre invoque aussi la conjoncture américaine pour justifier ce congédiement. L'arrivée de Donald Trump à la présidence des États-Unis. Dion ne répond pas. Il quitte le bureau du premier ministre, renvoie son chauffeur et rentre à Montréal en… autobus. Je suis à mon bureau et je commence à me sentir mal à l'aise face à mes collègues qui ne savent rien. Je décide moi aussi de partir vers Montréal pour la fin de semaine. Au terminus d'autobus, j'aperçois la directrice des opérations du bureau de Dion. Elle attend le ministre à la porte de départ pour Montréal. Elle me confirme le congédiement. J'ai espoir de faire le voyage avec lui, mais il est arrivé plus tôt et file déjà vers la métropole.

Tout au long du week-end, le téléphone ne dérougit pas entre la résidence du ministre, certaines personnalités et le premier

---

87. Quelques semaines plus tard, Dion accepte sa nomination à titre d'ambassadeur en Allemagne et d'envoyé spécial en Europe.

88. Linda Diebel, *Stéphane Dion. À contre-courant*, Les Éditions de l'Homme, 2007, p. 198-199.

ministre. Le mentor de Dion, Jean Chrétien, est furieux. Il cherche à fléchir Trudeau. Rien n'y fait. Le mardi 10 janvier 2017, Trudeau nomme Chrystia Freeland aux Affaires étrangères.

Chapitre six

Réparer les dégâts des conservateurs

Le 29 novembre 2012 restera une des journées les plus sombres de l'histoire de la diplomatie canadienne. Ce jour-là, l'Assemblée générale de l'ONU siège afin de débattre d'une résolution visant à accorder à la Palestine le statut d'État non membre observateur. La réunion est historique. Le vote autour de la résolution divise le monde occidental, isole le Canada et menace même de faire tomber la première ministre australienne.

La Palestine occupe un siège d'observateur à l'ONU depuis une trentaine d'années. Dans certaines autres organisations internationales, elle est déjà un État membre à part entière. Ainsi, le 31 octobre 2012, l'Assemblée générale de l'Unesco l'accueille à titre de 195ᵉ État membre de l'organisation. La résolution débattue à l'ONU ne va pas aussi loin. Seul le Conseil de sécurité peut permettre à l'Assemblée générale de l'ONU à se prononcer sur l'admission d'un nouveau membre. Avec leur *veto*, les États-Unis peuvent bloquer une telle procédure au conseil. La résolution offre toutefois à la Palestine un nouveau statut international pouvant lui permettre de signer des conventions de l'ONU en matière de droits sociaux ou politiques, ainsi que d'adhérer à des traités ouverts aux États et même à la Cour pénale internationale.

Depuis quelques années, les dirigeants palestiniens discutent avec plusieurs pays de ce nouveau statut. Sous la pression des uns et des autres, ils renoncent à déposer leur candidature afin de permettre au processus de paix entre eux et Israël d'avancer. En 2012, ce processus est dans l'impasse. Les Palestiniens sont exaspérés, et le reste du monde aussi. Devant ce blocage, un certain nombre d'États membres de l'ONU présente une résolution visant à accorder ce nouveau statut politique à la Palestine. Lorsque le débat s'ouvre à 15 h, la salle de l'Assemblée est pleine à craquer. La séance attire les médias du monde entier.

Le président palestinien Mahmoud Abbas s'adresse aux États membres. Il leur demande d'appuyer la résolution. L'ambassadeur israélien enchaîne pour s'y opposer. Chacun plaide vigoureusement son point de vue : deux discours, deux légitimités s'affrontent et s'ignorent. Le ministre canadien des Affaires étrangères, John Baird, est présent dans l'assistance. Il est venu d'Ottawa spécialement pour s'adresser aux participants. Il est le seul ministre occidental à effectuer cette démarche. Même son homologue israélien est absent.

Baird prend place à la tribune et assène : « Le Canada s'oppose sans équivoque au projet de résolution parce qu'il est contraire aux principes de base qui sous-tendent les efforts déployés depuis des décennies par la communauté internationale et par les parties elles-mêmes pour trouver une solution à deux États par la voie de négociations directes[89]. » Il justifie sa position en rappelant que « le Canada s'oppose depuis longtemps à toute mesure unilatérale prise par l'une ou l'autre des deux parties, car ces gestes sont préjudiciables ». Étrangement, au cours de son mandat de quatre ans à titre de ministre, jamais Baird ne se

---

89. Organisation des Nations Unies, A/67/PV.44, 2012, p. 8-10.

rend à l'ONU pour dénoncer les mesures unilatérales israéliennes. Au moment précis où les Palestiniens réclament la
reconnaissance internationale, le Canada leur en dénie le droit
et se place en travers de leur chemin. Baird conclut son allocution
en menaçant l'ONU d'examiner « toutes les mesures possibles »
pour la punir du vote qui se prépare.

Dans les travées, c'est la consternation. Voilà un pays, le
Canada, qui ne lève pas le petit doigt pour soutenir le processus
de paix et qui donne des leçons de morale au monde entier.
Conséquemment, les Européens, premier soutien financier des
Palestiniens, manifestent leur dégoût. Le président de l'Assemblée générale appelle au vote : cent trente-huit pays appuient la
résolution, neuf votent contre et quarante et un s'abstiennent. La
composition du vote est révélatrice de l'isolement du Canada. Le
Danemark, la Finlande, la France, le Japon, la Nouvelle-Zélande
et de nombreux autres pays occidentaux votent en faveur. Le
Canada se retrouve à voter contre, avec les États-Unis, Israël et
quelques îles du Pacifique Sud. Parmi les abstentionnistes, deux
alliés du Canada : le Royaume-Uni et l'Australie. Londres explique
son vote non par opposition à la résolution, mais parce que les
Palestiniens refusent de fournir la garantie qu'ils ne porteront pas
plainte contre Israël devant la Cour pénale internationale comme
le permet leur nouveau statut[90]. En Australie, une crise politique
éclate autour de la question palestinienne. La première ministre,
Julia Gillard, s'oppose à la résolution, mais, devant la révolte
d'une grande partie de son cabinet et de la députation de son
parti, elle ordonne à la délégation australienne de s'abstenir[91].

90. *Ibid.*, p. 16.
91. « Fears Julia Gillard isolated by adviser on UN Palestinian vote », *The Australian*,
1er décembre 2012.

Baird quitte New York en colère et annonce à son retour à Ottawa le rappel des diplomates canadiens à l'ONU, en Israël et en Palestine pour consultation. Il veut revoir les relations avec l'ONU et les Palestiniens, et selon la rumeur, il serait prêt à suspendre l'aide canadienne à ces derniers. Dans toute cette affaire, le Canada est à ce point isolé que la gêne s'installe dans la classe politique et médiatique canadienne. Le quotidien conservateur torontois *The Globe and Mail* rappelle le ministre à l'ordre. Si le journal lui donne raison dans son opposition à la résolution, il estime déraisonnable « d'exercer des mesures de représailles contre les Palestiniens qui n'aspirent qu'à se faire reconnaître comme nation, ce qui en soi est légitime[92] ». Il recommande plutôt au ministre de « descendre de ses grands chevaux et de revenir au dur et long labeur qui consiste à faciliter le progrès vers une solution à deux États ».

• • •

Le comportement du ministre envers l'ONU et ses États membres démontre, s'il en faut, le peu de cas que le gouvernement conservateur porte au multilatéralisme. Il révèle aussi un très haut degré de frustration envers l'ONU un an après l'échec du Canada dans sa tentative d'obtenir un siège de membre non permanent du Conseil de sécurité.

Les conservateurs ne sont pas particulièrement enthousiastes au moment de poser la candidature du Canada. Ils arrivent au pouvoir en 2006 avec un programme de politique étrangère résolument nationaliste et militariste. Selon eux, le monde s'explique par une opposition binaire – le bien contre le mal, la

---

92. « Canada should not penalize the Palestinians », *The Globe and Mail*, 30 novembre 2012 (notre traduction).

démocratie contre la dictature –, qui ne laisse aucune place aux opinions n'entrant pas dans cette grille idéologique. Pour Harper, l'univers reste un endroit sombre et violent où la force prédomine. Dans ce monde, le Canada ne peut compter que sur quelques alliés : les États-Unis, l'Australie, le Royaume-Uni, trois ou quatre pays européens et Israël. Les organisations internationales sont des institutions maléfiques, car elles se révèlent impuissantes, corrompues et anti-israéliennes. Harper et ses ministres ne se gênent pas pour rabaisser l'ONU. Le premier ministre prend même un malin plaisir à afficher publiquement tout son mépris pour la grande organisation internationale. En septembre 2009, il passe quelques heures à New York lors de l'Assemblée générale de l'ONU, mais quitte la ville pour se rendre dans une usine de beignes en Ontario, au moment précis où le président Barack Obama ouvre les débats.

Si le Canada selon Harper déteste profondément l'ONU, nul ne peut ignorer cette organisation. Elle demeure au cœur de la notion de sécurité collective : la paix se construit par tous, pour tous. À cet égard, le Conseil de sécurité de l'ONU adopte des décisions en matière de paix et de sécurité qui s'imposent aux États membres. Ces décisions encadrent le comportement des États sur la scène internationale afin de prévenir les conflits. En cas d'échec, elles offrent un cadre politique et juridique pour les gérer ou pour les régler. Même les Américains trouvent utile de passer par l'ONU, surtout lorsqu'il s'agit de légitimer certaines de leurs propres interventions militaires.

La sécurité du Canada repose en partie sur le bon fonctionnement de l'ONU et sur le respect de ses décisions, d'où l'énorme investissement consenti par le Canada à l'endroit de l'organisation depuis sa création en 1945. Harper est bien conscient de cet héritage. Et c'est avec beaucoup de réticence qu'il confirme en 2008 la décision de son prédécesseur, le libéral Paul Martin, de poser la candidature du Canada à un siège de membre non permanent du Conseil de sécurité pour la période 2011-2012[93].

La décision du premier ministre intervient tardivement. En effet, le vote destiné à choisir un membre non permanent se tient en octobre 2010, ce qui donne deux ans au gouvernement pour convaincre les cent quatre-vingt-onze États membres de l'ONU d'appuyer la candidature du Canada[94]. Un nouvel obstacle se dresse : le Canada est en compétition avec l'Allemagne et le Portugal pour un des deux sièges vacants de membres non permanents attribués au groupe régional des États d'Europe de l'Ouest et autres États. Ces deux pays sont en campagne depuis des années.

La course s'annonce très difficile pour le Canada, car l'ensemble des États européens, de l'Ouest comme de l'Est (quarante-huit pays), vote généralement pour les candidats européens et entraîne d'autres pays dans son sillage. Le Canada doit impérativement convaincre une majorité des États des Caraïbes, d'Amérique latine, d'Afrique, d'Asie, du Proche-Orient et du Pacifique Sud de se prononcer en sa faveur. Il faut deux tiers des votants présents (cent vingt-huit voix sur cent quatre-vingt-douze) pour être élu au premier tour.

De l'avis de nombreux observateurs, le gouvernement mène une campagne catastrophique. Le premier ministre refuse de

---

93. Le Conseil de sécurité est composé de cinq membres permanents – Chine, États-Unis, France, Royaume-Uni, Russie – et de dix membres non permanents sélectionnés sur une base régionale et élus par l'Assemblée générale pour un mandat de deux ans.

94. À l'époque, l'ONU compte cent quatre-vingt-douze États membres. En 2011, le Soudan du Sud devient le 193e.

s'adresser à l'Assemblée générale en 2008 et en 2009. Les diplomates canadiens postés à l'étranger – et dont les conservateurs se méfient à cause de leurs idées « libérales » – manquent d'enthousiasme dans la promotion de la candidature du pays. Sur le plan des politiques, les conservateurs font tout pour déplaire : ils ignorent l'Afrique, s'alignent complètement sur les positions israéliennes dans le conflit avec les Palestiniens, irritent les Européens et les Américains avec leur position sur la lutte aux changements climatiques.

Le 23 septembre 2010, à quelques semaines du vote, Harper se rend finalement à l'Assemblée générale pour défendre la candidature du Canada. Il rappelle l'engagement canadien dans plusieurs dossiers internationaux : la guerre en Afghanistan, la reconstruction d'Haïti frappée quelques mois plus tôt par un épouvantable tremblement de terre, l'initiative en faveur de la santé des mères, des nouveau-nés et des enfants pour laquelle le Canada a convaincu les pays du G8 d'investir des milliards de dollars. Il ne fait pas de doute dans l'esprit du premier ministre que le Canada mérite un siège au Conseil de sécurité. « Ces actions viennent des idéaux canadiens, dit-il aux chefs d'État et diplomates réunis. Permettez-moi donc de dire une chose : cette assemblée devrait savoir que le Canada est admissible au Conseil de sécurité. Si nous sommes élus, nous serons prêts à servir. Et si le Canada est appelé à servir au Conseil de sécurité, il sera guidé par ces idéaux, qu'il cherchera à faire avancer tout comme il s'est efforcé de mettre en œuvre les résolutions du Conseil de sécurité[95]. »

Le bilan des conservateurs n'est effectivement pas si mauvais, mais d'autres pays, dont l'Allemagne et le Portugal, font aussi

---

95. Discours du premier ministre Stephen Harper devant l'Assemblée générale des Nations Unies, Bureau du premier ministre, 23 septembre 2010.

bien, sinon mieux, sur la scène internationale. Le 10 octobre, le ministre des Affaires étrangères, Lawrence Cannon, se rend aux Nations Unies afin de participer au vote. Dans les travées de la grande salle de l'Assemblée générale, il serre les dernières mains afin de gagner de nouveaux appuis. Depuis la création de l'ONU en 1945, à la notable exception du vote de 1946 où il est battu, le Canada siège tous les dix ans au Conseil de sécurité : 1948-1949, 1958-1959, 1967-1968, 1977-1978, 1989-1990 et 1999-2000. Chaque fois, sa candidature reçoit un appui écrasant. Cannon se montre confiant. Le Canada dispose de cent trente-cinq promesses d'appui écrites et d'une quinzaine d'autres verbales[96]. Des appuis suffisants pour passer au premier tour de scrutin.

Le président de l'Assemblée générale dévoile les résultats. L'Allemagne obtient cent vingt-huit votes, le minimum requis pour emporter un siège. Mais, ô surprise ! le Portugal arrive deuxième et obtient cent vingt-deux votes, le Canada finit troisième avec cent quatorze. La stupeur s'empare de la délégation canadienne. Un nouveau tour devra avoir lieu pour combler le deuxième siège. Le Canada obtient soixante-dix-huit votes contre cent treize pour le Portugal. Cette fois, la délégation canadienne comprend le message et retire sa candidature afin d'éviter un troisième tour humiliant.

Si les conservateurs cherchent des boucs émissaires afin d'expliquer leur défaite – comme Michael Ignatieff, qu'ils accusent d'avoir dénigré la candidature de son pays –, des explications plus rationnelles émergent immédiatement après le vote. À l'évidence, les états de service du Canada sur la scène

---

96. Hélène Buzzetti, « Confusion autour de l'appui américain », *Le Devoir*, 16 octobre 2010, p. A3.

internationale, si longuement décrits dans le discours de Harper quelques semaines plus tôt, n'impressionnent pas les États membres de l'ONU. Ils se rappellent plutôt ses critiques contre l'ONU, son soutien sans faille à Israël et son indifférence envers l'Afrique. Des positions qui lui coûtent les votes d'une centaine de pays. Même les États-Unis refusent de faire campagne pour le Canada et, selon plusieurs témoignages, votent contre sa candidature[97].

Selon un chercheur de l'Hudson Institute de Washington, la défaite s'explique aussi par une erreur du premier ministre et de son gouvernement: la campagne repose trop sur les réalisations canadiennes passées plutôt que sur la promotion d'un programme d'avenir. «Ce que l'ONU recherche plus volontiers relève davantage d'un argumentaire positif – quel rôle souhaitez-vous jouer au sein du Conseil de sécurité au cours des années à venir? Il pourrait s'agir par exemple de repenser le maintien de la paix ou de consacrer de grands efforts à résoudre la situation au Darfour ou en Afghanistan[98]», dit ce chercheur au réseau de télévision CTV. «C'est ce qui ne se trouvait pas dans la candidature du Canada cette année. On y lisait "nous le méritons" plutôt que "voici ce que nous ferons si nous sommes élus".»

Enfin, et c'est mon explication, il y a une cause politique plus profonde à cette défaite. Au fur et à mesure que le nombre de membres augmente à l'Assemblée générale et que ceux-ci prennent conscience du poids de leur vote à l'occasion d'un scrutin, le Canada est de plus en plus en butte à une rude compétition de la part des autres candidats occidentaux. Jusqu'au début des

---

97. *Ibid.*

98. CTV News Staff, « Did the U.S. snub Canada at the UN vote ? », 14 octobre 2010 (notre traduction).

années quatre-vingt-dix, la candidature canadienne recevait un appui massif dès le premier tour. À l'époque, le Canada jouissait d'une excellente réputation grâce à son activisme diplomatique sur plusieurs fronts : la lutte contre l'apartheid en Afrique du Sud, la promotion du désarmement conventionnel et nucléaire, la participation aux opérations de paix, la distribution d'une importante aide au développement.

Une autre dynamique s'est installée à partir du début des années 2000 : le Canada s'est retiré des opérations de paix et s'est de plus en plus aligné sur les positions américaines et israéliennes. Parallèlement, les pays européens convoitant un siège ont commencé à se montrer plus agressifs sur la scène internationale, et plus généreux envers les pays en développement qui représentent une centaine d'États. Dès que trois candidats occidentaux ou plus contestaient un ou deux sièges vacants, les votes des États membres se départageaient presque également entre eux. Cela menait souvent à un troisième et parfois à un quatrième tour de scrutin. Ainsi, le vote de 2010 voit l'Allemagne élue au premier tour, mais de justesse. Cette situation découle d'une montée des enchères entre les candidats occidentaux et les États votants, les premiers offrant toujours plus aux seconds pour obtenir le siège tant convoité. En 2010, à l'évidence, le Canada refuse de jouer ce jeu[99].

• • •

Les libéraux promettent de remettre le Canada sur la bonne voie. Ils vénèrent l'ONU, que Lester B. Pearson a contribué à fonder et dont le Canada représente un partenaire actif. Historiquement,

---

99. Notons avec quelle agressivité l'Allemagne cherche à siéger au Conseil de sécurité. Admise à l'ONU en 1973, l'Allemagne siège cinq fois au Conseil alors que le Canada siège six fois depuis son adhésion en 1945.

le Canada gagne son titre de puissance moyenne grâce à un patient travail diplomatique avec d'autres puissances moyennes au sein des institutions internationales. Cet activisme offre une voix importante au Canada non seulement à l'ONU, mais aussi au sein de forums pour la paix et la sécurité, comme les conférences sur le désarmement, et lui permet de jouer souvent un premier rôle dans les opérations de paix ou les missions de médiation.

Le réengagement promis par Trudeau doit dépasser la simple posture consistant à prendre le contre-pied des conservateurs. Lors des rencontres du Conseil consultatif sur les relations internationales, les membres lui rappellent que la situation internationale actuelle est bien différente de celle à laquelle faisait face le Canada la dernière fois où il a siégé au Conseil de sécurité en 1999-2000.

L'émergence de la Chine comme superpuissance, l'agressivité de la Russie, le printemps arabe, la virulence du terrorisme islamiste, les mouvements massifs de réfugiés et de migrants, les changements climatiques et le poids accru des acteurs non étatiques ébranlent les certitudes et fragilisent l'ordre international établi au lendemain de la Seconde Guerre mondiale. De plus, l'évolution des technologies – le numérique, Internet, les réseaux sociaux – remet en cause les façons de faire de la diplomatie et ouvre de nouvelles avenues pour la croissance économique en Occident et dans les pays en développement. Plusieurs membres du conseil soulignent que «ces changements signifient que le Canada doit s'adapter et se renouveler comme acteur engagé et partenaire sur la scène mondiale».

Le Canada n'est pas sans ressources devant cette nouvelle configuration mondiale, déclare un des membres. Il possède «de solides atouts dans le contexte mondial, de même que la capacité de résoudre les problèmes, d'agir en tant que médiateur et protagoniste de façon à changer les choses dans le monde ». À partir de ce constat, dis-je à mes collègues, la meilleure façon pour le Canada de peser d'un poids nouveau sur la scène internationale consiste à s'appuyer sur les institutions internationales afin de démultiplier nos forces. Et l'un des démultiplicateurs de force disponible dans le système international est un siège de membre non permanent au Conseil de sécurité. Là-dessus, tous les membres du Conseil consultatif s'entendent.

Toutefois, Trudeau ajoute que la première étape à franchir pour obtenir ce siège est de bien préparer la campagne auprès des autres États, c'est-à-dire de « jouer un rôle plus constructif, plus engagé sur la scène mondiale ». À cet effet, les participants suggèrent une offensive diplomatique d'envergure dans les deux cents premiers jours suivant l'élection d'un gouvernement libéral afin de solidifier les relations entre le Canada et plusieurs pays clés et d'affirmer le retour du Canada sur la scène internationale : une série de visites éclair sur quatre continents par le premier ministre et ses principaux ministres, l'organisation d'un événement mondial et la participation à une grande opération de paix.

Roland Paris reprend les idées des membres du conseil et leur donne plus de poids dans un texte en forme de « lettre au futur premier ministre » qu'il publie quelques mois avant l'élection d'octobre 2015[100]. Pour que le Canada réussisse – « non pas dans le monde que nous avons connu, mais dans celui qui s'annonce – [le premier ministre] devra poursuivre une politique étrangère tournée vers l'avenir », écrit-il. La façon de s'y prendre consiste à suivre un principe cardinal du multilatéralisme : « que

---

100. Roland Paris, « Time to Make Ourselves Useful », *op. cit.* (notre traduction).

les intérêts du Canada soient servis par un travail constructif, en collaboration avec les autres». Et ce multilatéralisme, écrit Paris, est une carte essentielle dans la relation du Canada avec les États-Unis, une relation qui, en retour, lui donne une plus grande influence auprès d'autres pays et au sein des institutions internationales. Toutefois, souligne Paris, les bouleversements économiques, sociaux, culturels et sociétaux actuels placent le système des institutions multilatérales sous une pression croissante. D'où la nécessité pour le Canada de s'y réengager afin de les réformer et, ainsi, de trouver des solutions aux problèmes contemporains.

Il conseille au futur premier ministre de renouer avec une méthode diplomatique canadienne qui a fait ses preuves avant l'arrivée des conservateurs au pouvoir en 2006 : «mobiliser des coalitions d'acteurs étatiques et non étatiques qui s'attaqueront à des problèmes précis». La Convention d'Ottawa sur l'interdiction des mines antipersonnel, la Cour pénale internationale et le concept de responsabilité de protéger sont des résultats concrets de cette méthode.

L'argumentaire est au point pour que le nouveau gouvernement libéral puisse réparer les dégâts causés par les conservateurs et promouvoir la candidature du Canada au Conseil de sécurité de l'ONU. Encore faut-il que Trudeau le suive.

Chapitre sept

La course pour un siège
au Conseil de sécurité de l'ONU

Quelques mois après son élection, le 16 mars 2016, Trudeau se rend au siège de l'ONU. Devant un parterre de fonctionnaires enthousiastes, il annonce le retour du Canada sur la scène internationale. Il confirme l'intention du Canada de briguer un siège de membre non permanent du Conseil de sécurité pour la période 2021-2022 et de prendre une part plus active aux opérations de maintien de la paix. « Il est temps de mettre fin à notre isolement et de nous engager à nouveau, car nous savons que le Canada peut faire la différence[101] », dit le premier ministre.

Aux Affaires étrangères, à Ottawa, les fonctionnaires ont parfaitement conscience de l'ampleur du travail que représente une campagne pour accéder au Conseil de sécurité. Plusieurs étaient aux commandes lors de la dernière campagne, en 2008-2010. Pour la prochaine, ils s'attellent à l'ouvrage et créent une équipe spéciale destinée à planifier et à animer la campagne. Une fois par mois, cette équipe se rencontre dans une pièce sécurisée, loin des

---

101. « Trudeau announces bid for seat on UN Security Council », *National Post*,
    16 mars 2016 (notre traduction).

micros et des appareils pouvant capter et écouter les conversations. Sont réunis autour de la table les fonctionnaires de la Direction des Nations Unies et des organisations internationales, la sous-ministre adjointe aux affaires multilatérales, parfois, l'ambassadeur du Canada à l'ONU ainsi que quelques-uns de ses conseillers, un conseiller du ministre de la Défense nationale, et des membres du bureau du ministre Dion, dont le chef de cabinet et moi-même. J'assure le lien entre le bureau du ministre et les différents éléments de l'appareil gouvernemental intéressés par cette campagne.

Le gouvernement bâtit une stratégie autour d'un message unique et simple : le Canada est de retour sur la scène internationale et il est là pour apporter son aide. Ce message, le premier ministre, les ministres, les députés et l'ensemble des diplomates canadiens à l'étranger doivent le marteler lors de leurs contacts avec les représentants des autres États.

Évidemment, le message s'adapte selon l'interlocuteur des représentants canadiens. Ainsi, chaque fois que le ministre Dion rencontre un de ses homologues, les fonctionnaires des Affaires étrangères rédigent une fiche sur les relations entre les deux pays, contenant les enjeux clés à discuter entre eux. Les deux ministres passent en revue un certain nombre de questions, parfois épineuses, et promettent d'en régler quelques-unes. Le ministre Dion termine la conversation en demandant à son homologue si son pays envisage d'appuyer la candidature du Canada au Conseil de sécurité. Il fait suivre la réponse à Ottawa, où l'équipe spéciale de la campagne la compile. Une liste est dressée : les oui, les non et les indécis. Certains pays offrent des réponses écrites, d'autres, la plupart d'entre eux, orales. Les réponses permettent d'ajuster la stratégie et, parfois, d'offrir à un pays indécis de régler plus rapidement une question litigieuse en échange de son vote.

L'annonce de la candidature du Canada suscite des réactions favorables. À Genève et à New York, en mars, en juin et en septembre 2016, j'assiste à plusieurs rencontres bilatérales entre Dion et une trentaine de ministres des Affaires étrangères. Une bonne quinzaine d'entre eux offrent une réponse positive à la candidature du Canada. Pour autant, il y a beaucoup de réponses négatives et d'indécis.

La campagne pour l'obtention d'un siège au Conseil de sécurité ressemble à une course à obstacles. Trudeau apporte sans doute un vent de fraîcheur sur la scène internationale, mais le Canada a déjà deux handicaps : il arrive tard dans la course et doit encore faire ses preuves sur les plans politique et diplomatique. Le premier ministre dévoile ses intentions en mars 2016, et le vote sur la candidature du Canada aura lieu en juin 2020. À première vue, Trudeau dispose de quatre années pour convaincre les membres de la communauté internationale. Dans le monde de la diplomatie, quatre années représentent toutefois un délai très, très court. Et c'est d'autant plus court que les deux autres pays en compétition avec le Canada, l'Irlande et la Norvège, sont en campagne depuis plusieurs années.

À l'obstacle temporel s'ajoutent les inconnues politique et diplomatique. Quel Canada et quelles actions précises le gouvernement Trudeau veut-il promouvoir auprès des États membres de l'ONU afin qu'ils appuient sa candidature au Conseil de sécurité ? Les pages du programme électoral du Parti libéral consacrées à la politique étrangère mettent de l'avant un Canada « ouvert, tolérant et généreux » qui fait « preuve de compassion » envers «ceux qui en ont besoin[102]». Ces valeurs sont mises en relief dans le cadre de programmes et de politiques destinés à soutenir l'accueil des réfugiés, à redéployer l'aide au développement vers les plus pauvres et les plus vulnérables, à renouveler l'engagement de participer aux opérations de paix, à rétablir le leadership du Canada dans le monde et à investir dans les Forces armées. Parallèlement, le parti n'oublie pas la défense des intérêts économiques du Canada. Le réengagement sur la scène internationale, et en particulier avec les États-Unis, vise aussi un objectif : intensifier les échanges commerciaux afin qu'ils profitent à l'enrichissement de la classe moyenne, le thème central de sa campagne électorale.

Le programme du Parti libéral reste cependant silencieux sur les questions les plus litigieuses de l'heure : le rapport à la Russie, le conflit israélo-palestinien, l'émergence de nouvelles puissances. Il ne dit mot non plus des futures relations avec la Chine ou même avec l'Afrique. Par ailleurs, le lancement de la campagne pour l'obtention d'un siège au Conseil de sécurité impose au gouvernement de se positionner clairement sur les enjeux qui intéressent les États membres de l'ONU.

Deux d'entre eux se détachent : le conflit israélo-palestinien et la centralité des cinquante-quatre États africains dans le jeu diplomatique mondial.

· · ·

La question israélo-palestinienne est une préoccupation constante de la diplomatie canadienne au Proche-Orient depuis soixante-dix ans. En 1947, le Canada était membre du Comité spécial des

---

102. *Changer ensemble*, Parti libéral du Canada, 2015, p. 70.

Nations Unies sur la Palestine. Le mandat britannique sur la Palestine s'achevait à la mi-1948, et les onze membres travaillaient à une solution de rechange. Au bout de plusieurs mois de discussions, la majorité des membres recommandait le partage de la Palestine en un État arabe et un État juif, avec pour Jérusalem un statut international spécial sous l'autorité administrative de l'ONU. Pearson y jouait un rôle déterminant en faveur de la partition[103]. Dès ce moment, le Canada naviguait entre son appui à Israël, ses relations avec les États arabes de la région et la question palestinienne. Le Canada n'hésitait pas à condamner les protagonistes des différentes guerres israélo-arabes (1948, 1956, 1967 et 1973) et participait à toutes les missions de l'ONU visant à maintenir la paix. Des officiers canadiens commandaient plusieurs de ces missions, dont celle créée en 1956 par Pearson après la crise de Suez (la Force d'urgence des Nations Unies) et qui lui a valu le prix Nobel de la paix l'année suivante.

Le conflit israélo-palestinien est un champ de mines pour tous ceux qui tentent d'y apporter une solution. C'est un conflit à ce point chargé de symboles et d'émotions que même l'homme le plus puissant du monde, le président américain, se retrouve très souvent piégé lorsqu'il tente de déplacer une pièce sur cet échiquier. Au lendemain de son accession au pouvoir, en janvier 2017, Donald Trump a promis le transfert de l'ambassade américaine de Tel-Aviv à Jérusalem, capitale d'Israël non reconnue internationalement. Le statut de Jérusalem est au cœur du contentieux entre Israéliens et Palestiniens. La tempête qu'il a déclenchée l'a obligé à modifier sa promesse. Le 6 novembre, il a annoncé la reconnaissance de Jérusalem comme capitale d'Israël, mais a différé du même coup le transfert de l'ambassade.

---

103. Andrew Cohen, *Lester B. Pearson*, Penguin Canada, 2008, p. 101.

Quarante ans plus tôt, un politicien canadien s'est retrouvé dans la même situation. Quelques jours après son entrée en fonction en juin 1979, le premier ministre conservateur Joe Clark a annoncé le transfert de l'ambassade du Canada de Tel-Aviv vers Jérusalem, concrétisant ainsi une promesse faite à la communauté juive pendant la campagne électorale. La décision a soulevé un tel tollé que le premier ministre a nommé un ancien chef conservateur pour qu'il étudie toute la question et lui fasse rapport. En octobre, le rapport a été rendu public : il recommandait de ne pas procéder au déménagement, ce que Clark a accepté. L'ambassade du Canada demeure à Tel-Aviv.

Depuis le plan de partage de la Palestine, le Canada s'est montré un acteur « juste » et « impartial » dans le conflit israélo-palestinien, au moins jusqu'au milieu des années 2000. Selon un universitaire canadien, l'appui du Canada à Israël et à la cause palestinienne « n'était pas considéré comme étant mutuellement exclusif, mais plutôt comme mutuellement complémentaire, car la sécurité d'Israël, dans cette vision, allait être renforcée et consolidée par la création d'un État palestinien viable[104] ».

En même temps, un glissement vers Israël s'est opéré sous le gouvernement de Brian Mulroney, de 1984 à 1993. Le premier ministre conservateur ne cachait pas sa profonde amitié envers Israël et allait jusqu'à dire que le Canada est un « meilleur allié, un super allié » des « quatre alliés traditionnels[105] », soit les États-Unis, le Royaume-Uni, la France et Israël. C'était la première fois que l'État hébreu s'ajoutait à la liste des trois alliés historiques. En même temps, Mulroney laissait à Joe Clark,

---

104. Costanza Musu, « Canada and the MENA region: The foreign policy of a middle power », *Canadian Foreign Policy Journal*, vol. 1, n° 18, 2012, p. 72 (notre traduction).

105. Nossal *et al.*, p. 300.

devenu son ministre des Affaires étrangères, le soin d'apparaître comme l'élément proarabe du cabinet. Il s'agissait ici de protéger les relations économiques grandissantes entre le Canada et le monde arabe. N'empêche, Mulroney ne pouvait se résoudre à interagir avec Yasser Arafat, chef de l'Autorité palestinienne, qu'il tenait pour un «terroriste[106]».

Le tropisme pro-israélien de Mulroney s'explique par l'inquiétude de l'ancien premier ministre par rapport à un phénomène bien réel et très sérieux : la montée de l'antisémitisme un peu partout dans le monde, et particulièrement en Occident. Ce nouvel antisémitisme, différent de celui des années trente, se cache souvent derrière l'antisionisme, c'est-à-dire la remise en cause de l'existence de l'État hébreu. La position de Mulroney était d'autant plus solide que l'Assemblée générale de l'ONU avait adopté en 1975 une résolution considérant le sionisme comme une forme de racisme et de discrimination raciale. L'ONU a révoqué la résolution en 1991.

L'arrivée au pouvoir en octobre 1993 des libéraux de Jean Chrétien a ouvert un nouveau chapitre dans la relation entre le Canada et le Proche-Orient. Un mois plus tôt, Israël et l'Organisation de libération de la Palestine signaient à la Maison-Blanche les accords d'Oslo instituant de nouveaux rapports entre les deux entités. L'heure était à l'euphorie. Le Canada était prêt à soutenir le processus de paix. Il présidait déjà un groupe multilatéral sur les réfugiés palestiniens.

Jean Chrétien a évité les déclarations idéologiques et a plutôt mis l'accent sur des actions concrètes et pragmatiques propres à rapprocher les parties. En 2000, il a entrepris un voyage de

---

106. Brian Mulroney, *Mémoires*, Les Éditions de l'Homme, 2007, p. 438.

douze jours, la plus longue tournée dans cette région du monde jamais accomplie par un premier ministre canadien[107]. Malgré tout, l'influence du Canada sur la question israélo-palestinienne s'est révélée très limitée. Les États-Unis dominaient complètement ce dossier et laissaient peu de place à leurs alliés européens et canadiens.

Le départ de Chrétien et l'accession au pouvoir du libéral Paul Martin (2003-2006) ont marqué une nouvelle inflexion pro-Israël qui s'est accentuée sous le mandat du conservateur Stephen Harper (2006-2015). Cette inflexion s'est déplacée sur le plan diplomatique, plus particulièrement à l'ONU. En effet, chaque année, à l'automne, l'Assemblée générale de l'ONU débat d'une vingtaine de résolutions portant sur le conflit israélo-palestinien, mais aussi sur certaines questions israélo-arabes, puis passe au vote. Toutes ces résolutions prennent pour cible Israël et, chaque fois, l'État hébreu est l'objet de condamnations. L'effet cumulatif de ces votes se trouve à stigmatiser un membre de l'ONU en particulier, alors que d'autres pays de la région, qui portent des responsabilités dans les conflits en cours, évitent les blâmes. À défaut d'introduire des résolutions visant à condamner d'autres États de la région, le gouvernement Harper a cessé d'appuyer les condamnations d'Israël.

Cette attitude accrédite l'idée d'un Canada en rupture profonde avec l'ONU. La réalité est cependant plus subtile. Afin de mesurer cette perception et de vérifier l'inflexion pro-Israël du Canada, Steven Seligman, de l'Université Dalhousie en Nouvelle-Écosse, a publié en 2016 une étude où il a analysé le comportement des gouvernements Chrétien, Martin et Harper

---

107. Jean Chrétien, *op. cit.*, p. 381.

lors des votes à l'Assemblée générale de l'ONU de 1994 à 2015[108]. Le chercheur a compilé huit cent quatre-vingt-huit votes exprimés par le Canada sur cinquante résolutions (embargo américain contre Cuba, armes nucléaires, conflit israélo-palestinien, etc.) qui revenaient chaque année depuis vingt et un ans. «La façon de voter du Canada sur la plupart des questions n'a pas changé après l'arrivée des conservateurs au pouvoir en 2006[109]», a-t-il constaté. Avec une seule exception: sur le conflit israélo-palestinien, le gouvernement Harper «a modifié la position du Canada en la faisant correspondre plus étroitement à celle d'Israël et des États-Unis[110]».

Les résolutions contentieuses sont très diverses. Certaines portent sur l'occupation du plateau du Golan syrien par Israël, d'autres sur les réfugiés palestiniens, le droit des Palestiniens à l'autodétermination, le statut de Jérusalem, les colonies de peuplement israéliennes dans les territoires occupés ou le risque de prolifération nucléaire au Proche-Orient. Si les résolutions se justifient en droit international, chaque texte prend souvent un ton polémique et agressif. Malgré cela, le gouvernement Chrétien a voté en faveur de la majorité d'entre elles. Il s'est abstenu sur quatre résolutions, et sur l'ensemble des résolutions, «le Canada a voté dans le même sens que le Royaume-Uni et la France et très souvent comme l'Australie, mais s'est éloigné des positions des États-Unis et d'Israël[111]».

---

108. Steven Seligman, «Canada and the United Nations General Assembly (1994-2015): continuity and change under the Liberals and Conservatives», *Canadian Foreign Policy Journal*, 2016, vol. 22, n° 3, p. 276-315.
109. *Ibid.*, p. 276 (notre traduction).
110. *Ibid.*, p. 277.
111. *Ibid.*, p. 308 (notre traduction).

Sous Martin, le Canada a commencé à se rapprocher d'Israël. Les quatre abstentions enregistrées sous Chrétien se sont transformées en votes contre les résolutions. Avec le gouvernement Harper, le changement de position a été radical. De 2006 à 2010, le Canada a changé ses votes : des «oui» sont devenus des abstentions, et des abstentions, des «non». En 2011, réélu majoritaire, le gouvernement Harper a franchi une autre étape. Il a radicalisé sa position et a «voté contre dix-huit des vingt et une résolutions traitant du Proche-Orient tout en s'abstenant sur deux autres[112]». Le tableau général révèle un Canada qui s'éloigne du Royaume-Uni et de la France pour rejoindre de plain-pied le camp des États-Unis et d'Israël.

Les prises de position pro-Israël dans les forums internationaux et la politisation des votes sur les résolutions à l'ONU au détriment des principes ont coûté cher au gouvernement Harper. Elles expliquent, en partie, l'échec du Canada à se faire élire au Conseil de sécurité en 2010 et les mauvaises relations qu'il entretient avec ses alliés européens et le monde arabe sur les questions du Proche-Orient.

• • •

Justin Trudeau veut-il revenir à une position plus équilibrée par rapport au conflit israélo-palestinien et ainsi éviter au Canada l'isolement diplomatique subi pendant le règne conservateur? Il en donne l'impression avant sa victoire électorale en octobre 2015. Le chef libéral s'exprime rarement sur le conflit israélo-palestinien et, lorsqu'il le fait, c'est pour dire des évidences, comme l'illustre la formule énoncée par son conseiller

---

112. *Ibid.*, p. 310 (notre traduction). La dernière résolution est adoptée sans vote.

diplomatique : « Nous devrions continuer de reconnaître le droit d'Israël à l'existence et à la sécurité, mais sans rien enlever aux droits des Palestiniens[113]. »

Lors du débat des chefs sur la politique étrangère le 28 septembre 2015, Trudeau rappelle le consensus politique au Canada sur cette question et accuse Harper de faire d'Israël l'objet d'une bataille politique entre partis sur la scène nationale, en soulignant que « tous trois » – Thomas Mulcair du Nouveau Parti démocratique était alors candidat dans la course –, « nous appuyons Israël comme le fera tout gouvernement du Canada ».

Un aspect de cette question départage Trudeau et Harper : l'idéologie. Sur le conflit israélo-palestinien, comme sur d'autres sujets de politique intérieure ou extérieure, le nouveau premier ministre est d'abord et avant tout un pragmatique qui cherche constamment le consensus et le compromis. Sa vision du monde n'a rien de manichéen. Pour sa part, Harper éprouve un malin plaisir à souligner et à grossir les oppositions, les différences, afin de tracer une ligne entre lui et ses adversaires et de les forcer à choisir leur camp.

Sur Israël, l'ancien premier ministre construit le récit apocalyptique d'un pays assiégé par les forces du mal et dont la défense est un impératif pour les démocraties, plus particulièrement pour le Canada. Dans cet esprit, le Canada est à l'avant-garde et devient « le pays le plus favorable à Israël au monde ». Cette solidarité canado-israélienne est une construction politique aux assises fragiles, affirme Jeffrey Simpson, célèbre chroniqueur au *Globe and Mail*. « C'est entièrement faux, écrit-il. Le gouvernement Harper est peut-être le plus pro-israélien au

---

113. Roland Paris, « Time to Make Ourselves Useful », *op. cit.*

monde, mais la population ne l'est pas[114]. » Les sondages confirment l'analyse de Simpson[115].

Devenu premier ministre, Trudeau doit réagir aux résolutions sur la question israélo-palestinienne qui reviennent chaque année à l'Assemblée générale de l'ONU. Comme le gouvernement prend ses fonctions au début de novembre 2015, le nouveau premier ministre maintient les positions de Harper. Cependant, aux Affaires étrangères, le ministre Dion ordonne aux fonctionnaires de revoir l'ensemble de ce dossier. Il demande une analyse du contenu de chacune des résolutions et veut recevoir des options pour que le Canada puisse voter en respectant les principes du droit international tout en évitant de stigmatiser Israël.

Au bureau du ministre, ce dossier est à ce point sensible que tout le monde s'en mêle. Le chef de cabinet, le directeur des politiques, le directeur des communications, le directeur des affaires législatives et moi-même sommes mobilisés. Certains leaders de la communauté juive et l'ambassade d'Israël sont consultés. Les enjeux sur ces votes à l'ONU sont importants pour le gouvernement. Il se doit de bien soupeser les réactions et le comportement de l'électorat juif et pro-Israël, l'opinion des parlementaires juifs et les relations avec Israël. Il sait, par exemple, que l'électorat juif a fait l'objet d'une vive concurrence entre les pro-Harper et les pro-Trudeau en 2015, et la loyauté envers Israël est un test qui provoque insultes et menaces entre les deux camps[116].

---

114. Jeffrey Simpson, « Truculent moralizing for a domestic audience », *The Globe and Mail*, 4 février 2012 (notre traduction).

115. « 46 per cent of Canadian's negative toward Israeli gov't: poll », *Canadian Jewish News*, 22 février 2017.

116. Graeme Hamilton, « Riding war rages over Jewish state: Mount Royal », *Edmonton Journal*, 2 octobre 2015 et Patrick Martin, « Diverse Jewish views come to the fore: Despite the Tories' realignment of the political landscape in

Les groupes pro-Israël exercent une grande influence au Canada. En 2016, selon le Commissariat au lobbying, le Centre consultatif des relations juives et israéliennes occupe le cinquième rang des vingt plus importants organismes et entreprises qui sollicitent le plus les décideurs gouvernementaux[117].

Les fonctionnaires travaillent plusieurs mois sur le dossier des votes à l'Assemblée générale de l'ONU. Finalement, le 13 septembre 2016, quelques jours avant l'ouverture de l'Assemblée générale de l'ONU, les fonctionnaires rencontrent Dion et ses conseillers. Le ministre amorce la rencontre en rappelant trois choses : le Canada doit dénoncer la stigmatisation d'Israël à l'ONU ; il doit se montrer constructif dans son approche sur les résolutions ; enfin, il doit voter sur chacune d'elles en prenant en compte le respect des principes du droit international. Les fonctionnaires promettent une réponse rapide. Ils reviennent quelques semaines plus tard avec plusieurs options, dont une présente un certain nombre de changements de votes et offre un bon équilibre entre les trois critères énoncés par le ministre.

Dion transmet l'option retenue au premier ministre. Trudeau tergiverse. Une journée, il est d'accord avec la proposition de changer certains votes ; le lendemain, il est contre. Dion lui fait valoir que l'option retenue reflète les principes que le Canada défend sur la scène internationale tout en manifestant sa solidarité avec Israël. Quelques jours plus tard, alors que Dion et moi sommes au Kenya, les conseillers du premier ministre lui rappellent la promesse faite à des membres de la communauté juive

---

2006, Liberals and NDP are back as kosher options for many », *The Globe and Mail*, 7 octobre 2015, p. A14.

117. Entreprises et organismes ayant le plus sollicité Ottawa en 2016, tableau publié dans *La Presse*, 28 janvier 2017.

pendant la campagne électorale de ne rien changer. Le premier ministre recule[118]. Six mois de travail afin de trouver l'option la plus équilibrée pour le Canada tombent à l'eau.

· · ·

L'Afrique est l'autre facteur à prendre en considération lors d'une campagne pour obtenir un siège au Conseil de sécurité. Sur ce plan, l'année 2016 commence bien. Dion et moi voyageons au Nigeria, au Kenya et en Éthiopie. Au cours de l'année, le premier ministre passe quelques heures au Libéria, puis deux jours à Madagascar pour le sommet de la Francophonie, alors que la ministre du Développement international et le ministre de la Défense nationale se rendent dans plusieurs autres pays. C'est la première fois depuis une dizaine d'années qu'autant de ministres se déplacent sur le continent africain. Pendant leurs années au pouvoir, les conservateurs boudent l'Afrique et réduisent l'aide au développement tout en lançant une initiative sur la santé des mères, des nouveau-nés et des enfants qui profite largement aux pays africains. Les conservateurs préfèrent mettre l'accent sur les relations avec l'Amérique latine qui, il est vrai, représente un marché commercial en pleine expansion. Cette stratégie se défend. Toutefois, les conservateurs commettent une faute en ignorant le continent africain dont ils évaluent mal les potentialités diplomatiques et économiques.

On ignore l'Afrique à ses risques et périls. Le continent africain compte cinquante-quatre États, le plus grand bloc politique de la planète. Ces États sont tous membres de l'ONU et votent souvent ensemble sur de nombreuses questions inscrites à l'ordre

---

118. Toutefois, il annonce en même temps qu'il rétablit le financement de l'Office de secours et de travaux des Nations Unies pour les réfugiés palestiniens gelé par les conservateurs.

du jour des Nations Unies. Sur le plan économique, les analystes considèrent l'Afrique comme la prochaine frontière. En 2013, l'hebdomadaire *The Economist* publie un supplément très positif sur l'Afrique, chapeauté d'un titre accrocheur: *A hopeful continent* (Un continent rempli d'espoir). L'hebdomadaire fonde son analyse sur une série de statistiques et de constats prometteurs: les taux de croissance de certains pays frôlent les 10 % par an avec une moyenne de 5 % pour le continent; environ cent millions d'Africains gagnent plus de 3000 dollars par an et constituent donc le noyau d'une classe moyenne en émergence; le commerce avec le reste du monde augmente rapidement; les conflits diminuent; la téléphonie mobile est en explosion, le nombre de propriétaires de téléphone surpassant parfois celui de certains pays européens. Selon la Banque mondiale, «l'Afrique pourrait être sur le point de prendre son envol économique, tout comme la Chine l'était il y a trente ans et l'Inde il y a vingt ans».

Les grandes puissances, mais aussi celles en émergence, profitent de ce nouveau contexte. Si la présence française en Afrique reste la première dans toutes les catégories d'activité – son dispositif militaire y est d'ailleurs inégalé –, la Chine y possède une forte empreinte diplomatique, économique et même culturelle. Avec cinquante ambassades et quarante-cinq Instituts Confucius couvrant cinquante-quatre pays, la Chine vient d'ouvrir à Djibouti sa première base militaire à l'étranger et elle déploie quelque deux mille Casques bleus dans les opérations de paix de l'ONU sur le continent. En 2009, la Chine devient le premier partenaire commercial de l'Afrique et espère un doublement de ses échanges commerciaux à 400 milliards de dollars d'ici 2020. Elle est le quatrième investisseur après la France, les États-Unis et le Royaume-Uni. Un million de Chinois travaillent en Afrique comme ouvriers, industriels, médecins et humanitaires. De

2007 à 2013, le président, le premier ministre et le ministre des Affaires étrangères chinois se rendent à plusieurs reprises en Afrique et visitent vingt-huit pays du continent.

La Turquie, le Brésil, l'Inde, le Japon, l'Allemagne et même la Corée du Sud y augmentent leur présence. La plupart de ces pays copient même le modèle français en ce qui concerne les relations politiques avec les États africains : ils organisent des sommets, parfois annuellement, avec tous les leaders africains, question de mieux se connaître et d'en tirer des bénéfices sur les plans diplomatique et économique.

Le Canada était, jusqu'à tout récemment, un pays qui comptait en Afrique. Il a des atouts : il n'a pas de passé colonial en Afrique ; ses langues officielles sont le français et l'anglais, les deux langues les plus utilisées sur le continent ; ses missionnaires et enseignants animent des écoles et des universités qui forment les élites locales ; ses humanitaires et ses coopérants travaillent sur des programmes très appréciés ; ses industriels sont présents dans l'industrie minière.

Au zénith de cette présence, en 2005, le Canada dispose de vingt-six ambassades sur le continent. Il concentre une partie de son aide au développement dans quatorze pays. Il participe à plusieurs opérations de paix dont celles au Congo, en République centrafricaine et entre l'Éthiopie et l'Érythrée. Les initiatives diplomatiques canadiennes – Convention d'Ottawa sur l'interdiction des mines antipersonnel, création de la Cour pénale internationale, concept de responsabilité de protéger, dont nous avons discuté dans les chapitres précédents – rencontrent un écho favorable dans une majorité de pays africains. La voix du pays porte et, en 1998, le Canada décroche facilement un siège de membre non permanent du Conseil de sécurité de l'ONU dès le premier tour avec cent trente et une voix sur cent quatre-vingt-onze.

Si, sous Pierre Elliott Trudeau et Brian Mulroney, l'Afrique bénéficie d'une attention particulière, c'est Jean Chrétien qui l'inscrit en tête de liste des priorités gouvernementales et permet au Canada d'emporter cette victoire au Conseil de sécurité. Dans ses mémoires, il avoue que son intérêt pour l'Afrique se manifeste par la force des choses. « Très rapidement, et sans que je l'aie prévu, les problèmes du continent noir se sont imposés à moi, ne serait-ce que parce que presque tous les pays africains sont membres ou du Commonwealth ou de la Francophonie, écrit-il. Plus je rencontrais leurs dirigeants, plus je m'intéressais à leur action et plus je tenais à ce que le Canada les aide[119]. »

Dès 1994, il presse ses homologues du G7 d'inscrire le continent africain à l'ordre du jour de leur rencontre. En 2001, il se voit confier par les leaders du G7 la définition d'un plan d'action pour l'Afrique. L'année suivante, à Kananaskis en Alberta, il présente un plan visant à soutenir une initiative des Africains nommée « Nouveau partenariat pour le développement de l'Afrique ». En parallèle, le gouvernement crée un fonds spécial de 500 millions de dollars afin de financer des projets d'aide et d'investissements sur le continent.

L'arrivée au pouvoir des conservateurs en 2006 change les priorités du Canada. Le gouvernement ferme des ambassades, réduit l'aide au développement, limite les déplacements de ministres sur le continent et suscite la grogne des Africains au sujet des questions liées à la cause palestinienne. Le résultat ne se fait pas attendre : l'écrasante majorité des pays africains vote contre la candidature du Canada au Conseil de sécurité en 2010.

---

119. Jean Chrétien, *op. cit.*, p. 390.

• • •

L'Afrique va-t-elle redevenir une priorité pour le nouveau gouvernement libéral ? Le continent africain n'est pas étranger à Trudeau. À 23 ans, il voyage dans une demi-douzaine de pays d'Afrique de l'Ouest, mais n'en dit pas grand-chose dans son autobiographie *Terrain d'entente*. Il faut attendre son élection comme chef du Parti libéral pour que Trudeau exprime son intérêt à ce sujet. Il le fait lors des rencontres du Conseil consultatif sur les relations internationales.

Les membres du Conseil consultatif abordent l'Afrique à travers deux thématiques : le maintien de la paix et l'aide au développement. À l'été 2014, les conflits en Afrique occupent une bonne place dans l'actualité quotidienne et orientent la discussion. Les situations en République centrafricaine et au Soudan du Sud sont particulièrement désespérantes. Je rappelle à mes collègues que, en 1998, le Canada a participé à une mission de l'ONU en République centrafricaine et que nous connaissons ce pays francophone. Pourquoi ne pas y retourner ? Un consensus se dégage rapidement pour que cette mission soit inscrite comme une des priorités du prochain gouvernement libéral.

Sur l'aide au développement, les membres du conseil entendent trois experts lors de leur séance de décembre 2014. La discussion se déroule autour de deux questions : « Cette aide donne-t-elle des résultats ? Quelles sont les prochaines étapes ? » L'aide, disent les experts, produit des résultats même si, selon les situations, elle peut ne pas fonctionner. D'ailleurs, leurs conclusions divergent sur les résultats de l'aide. Toutefois, une chose demeure certaine : l'aide s'inscrit sur la durée et il ne faut jamais espérer de résultats immédiats.

Les trois intervenants attirent l'attention des membres du conseil sur une tendance lourde : l'aide est de plus en plus orientée vers les intérêts économiques des entreprises canadiennes, en particulier les minières. Selon eux, il faut revoir le modèle canadien d'aide au développement et l'orienter vers les plus pauvres et les plus vulnérables, comme les filles et les femmes. Les trois intervenants invitent un futur gouvernement Trudeau à augmenter l'aide advenant son accession au pouvoir. Une des participantes à la rencontre suggère même aux libéraux de s'engager à atteindre l'objectif proposé il y a quarante ans par Pearson, soit de consacrer 0,7 % du Revenu national brut (RNB) à l'aide au développement, un pourcentage atteint par le Royaume-Uni, le Danemark, la Norvège, la Suède et les Pays-Bas.

Trudeau ne répond pas à cette demande. La plateforme électorale du parti reprend certaines idées du Conseil consultatif – centrer l'aide sur les pays les plus pauvres et les plus vulnérables, revoir les politiques actuelles –, mais se garde bien de promettre quoi que ce soit en termes financiers. Toutefois, l'année suivante, pendant la campagne électorale, le Parti libéral s'engage à faire plus. « Un premier ministre libéral, Lester B. Pearson, a dirigé la commission de l'ONU qui a recommandé que 0,7 % du revenu national brut soit consacré à l'aide publique au développement, et un gouvernement libéral dirigé par Justin Trudeau tendra vers ce même objectif [120] », indique une lettre envoyée aux ONG québécoises. Deux ans plus tard, Trudeau renie cette promesse.

Lorsque le gouvernement procède à une révision de la politique d'aide au développement après une vaste consultation nationale et internationale des milieux associatifs, il annonce le

---

120. Parti libéral du Canada, *Lettre à Michèle Asselin, directrice générale de l'AQOCI*, 9 octobre 2015.

7 juin 2017 le lancement d'une politique d'orientation féministe. Tout au long de la campagne électorale, Trudeau se présente comme féministe. Il promet un gouvernement paritaire homme-femme et la mise en œuvre de programmes menant à l'égalité entre les sexes. La politique d'aide au développement féministe a pour objectif de « donner une voix et des moyens aux femmes et aux filles pour qu'elles puissent choisir leur propre avenir et contribuer pleinement à la collectivité[121] ». Cet accent sur les femmes et les filles remplit la promesse de diriger l'aide vers les plus pauvres et les plus vulnérables de la planète.

Mais si cette orientation féministe est louable, elle cache une tendance lourde : l'aide publique au développement du Canada (APD) diminue constamment depuis quarante ans. En effet, l'APD représentait 0,54 % du RNB en 1978, sa meilleure année depuis le lancement des programmes d'aide dans les années soixante[122]. À cette époque, le Canada semblait être en voie d'atteindre l'objectif fixé par Pearson de consacrer 0,7 % du RNB à l'aide. Il n'en sera rien. En raison de la situation économique et des déficits budgétaires, les gouvernements Chrétien et Martin ont brutalement réduit cette aide à 0,23 % en 2003. Elle a remonté sous Harper pour atteindre 0,32 %, mais a chuté à 0,27 % sous Justin Trudeau[123].

Cette performance place le Canada au quinzième rang parmi les vingt-neuf membres de l'OCDE. Et le pire reste à venir. Le budget fédéral de 2017 ne prévoit aucune augmentation de

---

121. Discours de la ministre Bibeau lors du lancement de la nouvelle politique d'aide internationale féministe du Canada, 9 juin 2017.

122. Ivan Head et Pierre Trudeau, *op. cit.*, p. 94.

123. Conseil canadien pour la coopération internationale, *Réalisation des ambitions du Canada : soutien au développement international dans le budget 2018*, octobre 2017, p. 2.

l'APD au cours des cinq prochaines années, ce qui veut dire selon le Conseil canadien pour la coopération internationale qu'elle chute en termes réels, et que le gouvernement risque d'afficher « à la fin de son premier mandat le bilan le moins reluisant en matière d'APD comme pourcentage moyen du RNB depuis un demi-siècle[124] ». Pendant ce temps, le gouvernement annonce en juin 2017 une augmentation de 73 % du budget militaire au cours des dix prochaines années.

• • •

L'Afrique est une des clés du retour du Canada sur la scène internationale et du succès ou non de la campagne pour l'obtention d'un siège au Conseil de sécurité. J'avise le ministre Dion de mon intention d'élaborer une stratégie de réengagement du Canada sur le continent africain. En décembre 2016, le document est prêt. Sur seize pages, je recommande au gouvernement de suivre une démarche à trois directions : diplomatique, économique et sécuritaire. À défaut, nous courons à l'échec.

L'action diplomatique constitue le premier élément de cette stratégie d'engagement. Elle s'incarne de deux manières : une présence physique, sur le terrain, et une relation soutenue avec les dirigeants du continent. Depuis une dizaine d'années, l'empreinte diplomatique du Canada en Afrique s'efface. Le nombre d'ambassades et de missions passe de vingt-six à vingt et un sur un continent qui compte cinquante-quatre pays. Les budgets sont réduits, les chancelleries, microscopiques. Or, plusieurs puissances étrangères renforcent leur présence diplomatique. La Turquie a maintenant quarante ambassades en Afrique, la Corée du Sud vingt-deux, et la Norvège, un pays de cinq millions

---

124. *Ibid.*, p. 2.

d'habitants, en concurrence avec le Canada pour un siège au Conseil de sécurité durant la période 2020-2021, en compte vingt et une. Bien entendu, ouvrir une mission demeure un geste coûteux, mais il n'est pas toujours nécessaire d'acquérir un bâtiment pour l'y installer. Il reste possible de partager des locaux. Au Mali, la chancellerie canadienne loge pendant longtemps la mission diplomatique britannique. Au Cambodge, les Britanniques accueillent maintenant les diplomates canadiens.

Les politiciens canadiens doivent aller à la rencontre des Africains s'ils souhaitent que le Canada soit pris au sérieux. Le premier ministre et ses ministres doivent multiplier les visites sur le continent. En 2016, Justin Trudeau décline pourtant une invitation à prononcer un discours lors du sommet des chefs d'État de l'Union africaine à Kigali, au Rwanda. En 2017, il ne reçoit aucune invitation. Il se rend quelques heures au Libéria et deux jours à Madagascar pour le sommet de la Francophonie. Plusieurs de ses ministres, ceux des Affaires étrangères, de la Défense et du Développement international en particulier, sont plus assidus. Mais ça ne suffit pas.

D'autres puissances s'activent sur le continent, et certaines copient la pratique française des sommets France-Afrique. Ainsi, la Chine, l'Inde, le Japon et les États-Unis organisent régulièrement ce type de sommets où le chef du pays hôte prend le temps de rencontrer un à un chaque dirigeant africain. Même Israël travaille à organiser un sommet avec ses partenaires africains pour traiter de questions d'investissements et de sécurité, mais aussi de la candidature de l'État hébreu au Conseil de sécurité pour la période 2019-2020. Israël comprend bien que chaque vote compte dans cette délicate démarche diplomatique. Le Canada ne peut donc rester au bord du chemin. Il doit se montrer ambitieux et organiser un sommet similaire.

Le deuxième élément de cette stratégie d'engagement est le renforcement de la présence économique. La volonté du président américain Donald Trump de revoir de fond en comble l'Accord de libre-échange nord-américain (ALENA) révèle l'étendue de la dépendance du Canada envers les États-Unis et l'étroitesse de sa marge de manœuvre sur la scène internationale. Depuis trop longtemps, les Canadiens s'habituent à leur confortable relation avec leurs voisins du sud et font peu d'efforts pour diversifier leurs relations économiques avec le reste du monde.

En son temps, le premier ministre Pierre Elliott Trudeau avait exploré des options commerciales vers l'Asie et l'Europe, mais sa politique a échoué. Justin Trudeau semble comprendre l'importance stratégique de la diversification. Quelques mois avant son élection en octobre 2015, il tire la sonnette d'alarme. Dans un discours sur les relations canado-américaines, Trudeau admet que le temps est venu pour le Canada de « renforcer davantage [ses] liens avec les marchés mondiaux florissants, particulièrement en Asie et en Afrique[125] ».

Il faut maintenant passer de la parole aux actes. La présence économique canadienne en Afrique se limite essentiellement au secteur de l'exploration et de l'extraction minières, pétrolières et gazières. Les compagnies canadiennes sont présentes dans quarante-trois des cinquante-quatre pays du continent. Toutefois, selon le rapport 2017 de la Banque africaine de développement

---

125. Justin Trudeau, *Vrai changement dans les relations canado-américaines*, discours devant Canada 2020, 23 juin 2015.

sur les perspectives économiques du continent, la croissance africaine repose moins sur les ressources naturelles et est de plus en plus favorisée par l'amélioration de l'environnement des affaires et de la gouvernance macroéconomique. La diversification de l'économie africaine et la croissance de sa classe moyenne demandent des investissements massifs dans plusieurs secteurs d'activité : infrastructures, technologies de l'information et de communication, énergie, agroalimentaire, transport et hôtellerie. Il est frappant de constater l'absence du Canada de presque tous ces secteurs.

Le troisième et dernier élément de cette stratégie d'engagement est l'aspect sécuritaire. Si le Canada veut profiter de la croissance économique de l'Afrique et étendre son influence sur la scène internationale, il est dans son intérêt de participer au règlement des conflits sur ce continent. L'Afrique concentre le plus grand nombre de conflits et de crises sur la planète et accueille présentement huit des quinze opérations de paix de l'ONU, sept missions de paix militaires et civiles de l'Union européenne, et une mission de l'Union africaine.

Depuis l'éclatement du conflit dans l'est de la République démocratique du Congo en 1996, qualifié de « première guerre mondiale africaine », un pays africain sur deux est aux prises avec des guerres, des activités terroristes ou des conflits politiques violents. Les zones les plus touchées sont la bande sahélienne, qui s'étire du Sénégal à la Somalie, et une partie de l'Afrique tropicale de l'Ouest et centrale. Les conflits et les activités terroristes déstabilisent certains États africains déjà fragiles et jettent sur les routes de l'exil des centaines de milliers de migrants, dont un grand nombre se retrouve sur les côtes de l'Europe. Et l'Union africaine dispose de très peu de moyens pour stabiliser le continent. Enfin, les Canadiens sont maintenant victimes de ces conflits : au début de 2016, huit ressortissants canadiens sont tués dans des attentats terroristes à Ouagadougou, au Burkina Faso.

L'absence du Canada des opérations de paix et des missions de contre-terrorisme en Afrique va à l'encontre de ses intérêts nationaux[126]. L'insécurité sur ce continent ne peut qu'entraîner des effets néfastes sur la sécurité de l'Europe et sur celle de l'Amérique du Nord. Et il ne passe pas inaperçu aux observateurs les plus avertis des questions de sécurité en Afrique que le Canada se retrouve aujourd'hui dans la situation absurde où des Casques bleus chinois et des forces antiterroristes françaises et américaines stabilisent des pays – Mali, Niger, République démocratique du Congo – où les minières canadiennes sont installées et prospèrent.

• • •

Un des canaux de communication dont disposent les États pour interagir entre eux est la réunion annuelle de l'Assemblée générale de l'ONU. Dès l'ouverture, à la mi-septembre, les chefs d'État et de gouvernement du monde entier convergent vers New York afin de faire entendre leur voix dans le concert des nations. C'est aussi un moment privilégié pour les rencontres entre leaders qui ne se voient pas régulièrement. Trudeau se rend à l'Assemblée générale en 2016 et en 2017, et il y prononce des discours devant ses pairs.

Le discours devant l'Assemblée générale de l'ONU est un exercice exigeant. Les participants attendent de chaque orateur qu'il avance des idées concrètes et pratiques afin de répondre

---

126. Ottawa a annoncé le 19 mars 2018 le déploiement d'un contingent de Casques bleus au Mali.

aux grandes questions internationales de l'heure et, du même coup, de se montrer à la hauteur pour occuper un siège au Conseil de sécurité. Le premier ministre rate deux fois cet exercice. En 2016, il ouvre son allocution en racontant sa rencontre avec les Canadiens pendant la campagne électorale l'année précédente. Il centre une importante partie de son discours sur sa personne et sur les efforts qu'il consacre à assurer de bons emplois à la classe moyenne canadienne. Il ne dit rien sur les grands enjeux internationaux, sinon que le Canada cherche dans les camps de réfugiés syriens des membres de la classe moyenne – médecins, avocats, enseignants – afin de les y attirer.

Dans son discours de septembre 2017, Trudeau met l'accent sur la manière dont son gouvernement s'y prend pour redonner aux peuples autochtones une place au sein de la société canadienne. Cette question est importante, car le sort des minorités et des peuples autochtones occupe de plus en plus les discussions dans les instances internationales. Qu'on pense aux Yazidis, en Irak, ou aux Rohingyas, au Myanmar. L'expérience canadienne en matière de réconciliation peut s'avérer intéressante pour le reste du monde. En même temps, ce discours ne dit rien de ce que le Canada pense des questions qui secouent l'ordre international et qui préoccupent au quotidien les leaders présents dans la salle. Or, quelques heures avant le discours du premier ministre, le président français Emmanuel Macron et la première ministre britannique Theresa May, pour ne nommer qu'eux, abordent directement ces questions (Syrie, terrorisme, lutte à la pauvreté, environnement, migrants, nucléaire iranien et nord-coréen) et positionnent ainsi leur pays en acteur incontournable de la gouvernance mondiale.

Bien entendu, personne ne croit que le Canada puisse demain matin régler la crise nord-coréenne ou la querelle sur l'accord concernant le nucléaire iranien. Mais les États membres – donc ceux qui disposent d'un vote – attendent d'un pays qui entend rejoindre le Conseil de sécurité dans quelques années qu'il puisse dire concrètement pourquoi il est digne d'être élu. Or, Trudeau ne leur fournit aucun élément tangible pour alimenter leur réflexion en faveur du Canada.

· · ·

À ce jour, le réengagement du Canada avec l'Afrique reste modeste, et le gouvernement Trudeau maintient les positions du gouvernement Harper sur le conflit israélo-palestinien. Or, c'est précisément sur ces enjeux que la candidature du Canada au Conseil de sécurité a échoué en 2010. Si Trudeau n'y prend garde, le réveil risque d'être brutal pour les Canadiens en juin 2020, au moment où les membres de l'Assemblée générale de l'ONU choisiront parmi trois candidats – Canada, Norvège, Irlande – ceux qui occuperont les deux sièges en compétition.

Chapitre huit

Le difficile retour
des Casques bleus canadiens

Angelina Jolie avance lentement vers l'estrade où une centaine de ministres de la Défense s'assemblent pour la traditionnelle photo de famille. Elle est l'invitée de marque de la réunion des ministres de la Défense sur le maintien de la paix des Nations Unies qui se tient à Vancouver le 15 novembre 2017. La mégastar attire tous les regards. Actrice, mannequin, philanthrope, ambassadrice de bonne volonté, Jolie défend depuis longtemps des causes humanitaires et prête une attention particulière à la protection des animaux et de l'environnement. Une tragédie personnelle l'a aussi frappée de plein fouet : l'ablation préventive des seins afin de prévenir le développement d'un cancer des plus virulents a sauvé sa vie.

L'actrice est une icône, et Justin Trudeau adore les icônes, surtout lorsqu'il les utilise pour éblouir un auditoire et servir de décor afin de masquer l'annonce d'une politique sans ambition.

Jolie prononce un discours sur les violences sexuelles faites aux femmes et aux filles dans les zones de guerre. À cette occasion, elle reproche aux États représentés à Vancouver de faire peu pour éliminer ce fléau. Jolie a raison. Les violences sexuelles se multiplient et entachent la réputation des Casques bleus, même si ceux-ci ne sont pas les seuls responsables. C'est un problème complexe auquel l'ONU s'attaque depuis une vingtaine d'années, mais les solutions sont souvent difficiles à mettre en œuvre.

Au-delà de cette question particulière, la rencontre de Vancouver affiche un objectif très précis : les États représentés dans la salle doivent annoncer un engagement réel aux opérations de paix de l'ONU. Et comme le Canada est l'hôte de la rencontre, l'assistance attend avec impatience le discours du premier ministre, impatience d'autant plus justifiée que Trudeau fait du retour du Canada dans les opérations de paix une promesse phare de sa plateforme électorale. Dès août 2016, le gouvernement a dévoilé une ambitieuse politique de maintien de la paix accueillie avec enthousiasme par l'ONU. Cette politique prend le contre-pied du gouvernement conservateur qui, pendant ses neuf années au pouvoir, a affiché le plus grand mépris pour le maintien de la paix et les Casques bleus.

Le premier ministre doit maintenant livrer la marchandise. Après un long et tortueux discours, où la forme l'emporte sur le fond, l'assistance se rend à l'évidence : le Canada recule par rapport à 2016. Sa contribution sera très modeste. Il n'annonce aucun déploiement immédiat de militaires et de policiers, ni de matériel dans les opérations de paix qui en ont pourtant cruellement besoin. Il faudra attendre le 19 mars 2018 pour que le Canada s'engage à déployer un contingent au Mali. Cette contribution n'a rien à voir avec l'ambitieuse politique de 2016. J'en fais mention un peu plus loin. Alors, que se passe-t-il ? Pour répondre à cette question, il faut revenir en arrière et rappeler comment le Canada, d'inventeur des Casques bleus sous Lester B. Pearson, en est devenu un acteur distant sous Trudeau.

. . .

Le Canada fait de sa participation aux opérations de paix de l'ONU un des axes majeurs de sa politique étrangère et de défense depuis l'après-guerre. Dès lors, le maintien de la paix donne naissance à un mythe à propos de son identité nationale, ici comme à l'étranger : le Canada est un pays de gardiens de la paix[127]. Par la suite et jusqu'au milieu des années quatre-vingt-dix, le Canada participe à toutes les opérations de paix de l'ONU.

Depuis un demi-siècle, à entendre les discours de la majorité des politiciens, historiens, chercheurs et même des gens d'affaires, le maintien de la paix fait partie de l'ADN des Canadiens. Et la planète entière y croit, parfois jusqu'à l'absurde, comme en fait foi l'opinion du célèbre politologue américain Francis Fukuyama. Dans un livre sur les interventions militaires et la reconstruction des États après un conflit, il écrit que l'incapacité de plusieurs contingents militaires à passer d'une posture de maintien de la paix à celle de l'imposition de la paix lorsque cela est nécessaire résulte du fait que « certaines armées contemporaines, comme celle du Canada, ont été formées spécialement en fonction des missions de maintien de la paix, tandis que d'autres, comme celle des États-Unis, ont été formées pour la guerre classique[128] ».

Dans le cas du Canada, cela est évidemment faux. Les militaires canadiens s'entraînent bel et bien pour faire la guerre. En même temps, peut-on reprocher à Fukuyama cette erreur ? La place centrale que le Canada accorde au maintien de la paix

---

127. Jean-François Caron, *op. cit.*

128. Francis Fukuyama, « Guidelines for Future Nation-Builders », dans *Nation-Building. Beyond Afghanistan and Iraq*, Francis Fukuyama (ed.), The Johns Hopkins University Press, 2006, p. 233.

dans sa politique étrangère et de défense jusqu'à l'arrivée des conservateurs au pouvoir en 2006 n'influence-t-elle pas le jugement du politologue ? Ainsi, dans le *Livre blanc* sur la défense nationale publié par le gouvernement Chrétien en 1994, on peut lire : « Nous sommes les héritiers d'une remarquable tradition de service à l'étranger et fiers du prix Nobel de la paix décerné à Pearson[129]. »

Non seulement le gouvernement canadien, ses diplomates et ses politiciens véhiculent-ils ce discours, mais la population l'intériorise tellement que la brasserie Molson se fait un point d'honneur de s'en servir pour mousser ses bières. En effet, cette entreprise diffuse en 2000 à la télévision une publicité en anglais où on peut apercevoir un jeune homme s'exclamant : « Je crois au maintien de la paix et non au maintien de l'ordre, je m'appelle Joe et je suis canadien. »

Paradoxalement, au moment même où Joe le Canadien fait du maintien de la paix une caractéristique de son identité, le Canada amorce un virage vers des interventions plus robustes qui confinent à l'imposition de la paix. La première moitié des années quatre-vingt-dix est une période particulièrement traumatisante pour les opérations de paix de l'ONU en général et en particulier pour les Canadiens qui y participent. La trilogie funeste – l'échec des Casques bleus en Somalie, en Bosnie et au Rwanda – secoue les consciences dans le monde et affecte directement les Canadiens. Pour la première fois, les militaires canadiens assistent, impuissants, aux violences extrêmes de la nouvelle conflictualité. Deux généraux – Lewis MacKenzie et surtout Roméo Dallaire – vivent au quotidien les insuffisances de l'ONU et les massacres à grande échelle.

---

129. Ministère de la Défense nationale, *Livre blanc de 1994*, 1994, p. 28.

Ces expériences amènent le gouvernement canadien et plusieurs gouvernements occidentaux à revoir la façon même d'appréhender les conflits modernes. Pour eux, le maintien de la paix traditionnel ne fait pas le poids face aux conflits internes, aux guerres civiles, au nettoyage ethnique, c'est-à-dire aux situations où l'ONU intervient de plus en plus fréquemment.

Le gouvernement Chrétien prend la mesure des changements de l'après-guerre froide. Ainsi, dans le *Livre blanc de 1994*, le gouvernement libéral affirme la nécessité de relever le plafond de deux mille militaires déployés à l'étranger, fixé par les gouvernements antérieurs. Il promet d'augmenter le nombre de troupes en réserve de l'ONU pour atteindre quatre mille militaires et même d'en déployer jusqu'à dix mille en cas de besoin. La barre est si haute qu'elle n'est jamais atteinte. En effet, dès 1996, alors que des millions de réfugiés rwandais vivent des jours dramatiques dans les forêts de l'est de la République démocratique du Congo, Chrétien tente une mission de sauvetage. C'est un désastre, car le Canada n'a pas les moyens de ses ambitions. Il doit renoncer, faute de disposer de la capacité opérationnelle à mener la mission[130].

Entre-temps, Lloyd Axworthy devient ministre des Affaires étrangères et conçoit un programme humanitaire et interventionniste axé sur la sécurité humaine et les droits de la personne. Le Canada appelle les États membres de l'ONU à répondre de manière robuste aux violations des droits de la personne. Cette campagne aboutit à la création de la Cour pénale internationale en 1998 et à la formulation du concept de responsabilité de protéger en 2001. Parallèlement, le Canada se retire progressivement

---

130. James Appathurai et Ralph Lysyshyn, « Lessons Learned from the Zaïre Mission », *Canadian Foreign Policy*, vol. 5, n° 2, hiver 1998, p. 100.

des opérations de maintien de la paix de l'ONU pour se joindre aux opérations de paix plus robustes de l'OTAN en Bosnie, au Kosovo et, surtout, en Afghanistan, ou à des coalitions de volontaires comme lors des interventions multinationales au Timor oriental et à Haïti. Si le Canada déploie quelque deux mille sept cents militaires et policiers dans des missions de l'ONU en 1994, une soixantaine d'entre eux participent à ces missions en décembre 2017.

Plusieurs facteurs expliquent ce changement. Sur le plan international, on l'a dit, la conflictualité de l'après-guerre froide se caractérise par les guerres civiles et les massacres. Afin d'y faire face, il faut que les «gardiens de la paix» adoptent une nouvelle posture, plus robuste. L'ONU ne pouvant s'engager dans cette voie pour des raisons politiques et matérielles, l'OTAN et les organisations régionales viennent en renfort, tout heureuses de se trouver un nouveau rôle après la chute du mur de Berlin.

L'engagement de l'OTAN, par exemple, présente trois avantages pour les pays occidentaux: premièrement, l'organisation est plus homogène que l'ONU, et ses membres travaillent ensemble depuis 1949; deuxièmement, l'OTAN peut déployer des moyens militaires considérables afin d'appuyer un mandat robuste; troisièmement, le recours à l'OTAN permet de s'assurer de la participation des États-Unis dans une intervention. L'ONU tire avantage de l'OTAN afin de mettre en œuvre des mandats de paix plus robustes en Bosnie, au Kosovo et en Afghanistan. Une division du travail s'installe naturellement entre ceux qui préfèrent le maintien de la paix à la sauce onusienne et ceux qui sont prêts à entreprendre des missions plus violentes.

Enfin, la multiplication des opérations de paix entraîne une augmentation quantitative et qualitative du nombre de pays contributeurs, représentant principalement le Sud. Ainsi, en 1982, sur les dix premiers pays contributeurs de troupes de l'ONU, sept sont occidentaux. En 1994, le rapport est inversé : six sont des pays du Sud[131]. Dans les années suivantes, cette tendance prend de l'ampleur : l'OTAN et l'UE décident de créer leurs opérations de paix, et des pays occidentaux choisissent de s'y joindre massivement.

Sur le plan national, le Canada suit la tendance des autres pays occidentaux avec d'autant plus d'enthousiasme que les Canadiens se rappellent qu'en 1994 un des leurs, le général Roméo Dallaire, a assisté, impuissant, au génocide de centaines de milliers de Rwandais alors qu'il commandait une force de l'ONU. « Plus jamais ça », dit-on à Ottawa. Ce changement de cap va s'accentuer après les attentats du 11 septembre 2001. Au lendemain des attaques, le Canada décide de se joindre à la coalition américaine afin de renverser le régime taliban en Afghanistan. Un premier bataillon de huit cents militaires se déploie à Kandahar en 2002 en même temps que des commandos spéciaux et des forces maritimes et aériennes participent aux opérations de lutte antiterroriste. Cet événement tragique accélère la réflexion à Ottawa sur la posture militaire du Canada dans le monde. En particulier, les militaires canadiens insistent sur l'approfondissement des relations avec leurs collègues américains. La défense de l'Amérique du Nord et la possibilité de mener des opérations militaires avec les Américains deviennent politiquement acceptables et relèguent au second plan les opérations de paix.

---

131. Jocelyn Coulon, *Les Casques bleus*, Éditions Fides, 1994, p. 273.

La mission en Afghanistan est le moment tant attendu par de nombreux militaires pour montrer aux Canadiens qu'ils peuvent combattre et faire autre chose que du maintien de la paix[132]. Le général Rick Hillier, d'abord commandant de la force de l'OTAN à Kaboul en 2003-2004, puis chef d'état-major des Forces canadiennes de 2005 à 2008, symbolise cette aspiration. Il convainc le gouvernement de l'importance de reconfigurer les Forces canadiennes afin de faire face aux défis nouveaux. À cet égard, l'Afghanistan est l'exemple concret des conflits de l'avenir, c'est un test. Au fur et à mesure que le Canada s'engage dans ce pays, il retire ses troupes des autres théâtres extérieurs où il est présent.

La publication en 2005 de l'*Énoncé de politique internationale* reflète le reformatage des Forces canadiennes et le repositionnement du Canada dans le monde. Le gouvernement de Paul Martin ne renie pas son engagement envers l'ONU ou les missions de paix, mais il met l'accent d'abord et avant tout sur le partenariat nord-américain, la lutte au terrorisme et la capacité pour les militaires de soutenir des forces expéditionnaires déployées afin de reconstruire des États faillis et d'éviter des massacres et des génocides.

Dès leur arrivée au pouvoir, les conservateurs ambitionnent d'aller plus loin encore. Ils souhaitent ériger le Canada en nation guerrière. Ils accentuent le virage vers les missions multinationales en dehors de l'ONU. C'est dans ce but qu'ils renouvellent la présence du contingent canadien en Afghanistan en 2008 et qu'ils entraînent le Canada dans une opération militaire de l'OTAN en Libye en 2011, laquelle aboutit au renversement du

---

132. À propos des événements et des raisons qui mènent le Canada à s'engager en Afghanistan, voir Janice Gross Stein et Eugene Lang, *The Unexpected War. Canada in Kandahar*, Viking Canada, 2007.

gouvernement et à la mort du colonel Kadhafi. Cette participation à une action musclée, le gouvernement conservateur en fait un moment charnière dans l'histoire du Canada lors d'un grand défilé au centre-ville d'Ottawa visant à souligner la « bravoure » des Forces armées canadiennes.

La « militarisation » de la politique étrangère canadienne ne représente qu'un aspect du grand projet de nation guerrière cher à Harper. Il veut aussi se débarrasser de l'internationalisme libéral dont la participation aux opérations de paix est un élément central. Depuis 1956 et la création des Casques bleus par Pearson, les Canadiens se perçoivent comme une nation de gardiens de la paix, de médiateurs, et certains en viennent même à croire que le Canada est un pays neutre.

Selon le premier ministre conservateur, si les Canadiens pensent ainsi, c'est que les gouvernements précédents occultent depuis longtemps l'aspect « guerrier » de l'histoire canadienne. C'est loin d'être faux. Les élites politiques et intellectuelles de l'après-guerre mettent essentiellement de l'avant le côté « bon citoyen » du Canada sur la scène internationale et relèguent au second plan l'inscription du pays dans les stratégies militaires américaines et occidentales. La célébration du versant militaire de l'identité canadienne vise à rééquilibrer les choses.

Mais l'entreprise lancée par le gouvernement Harper dérape. Dans leur hargne contre les symboles et réalisations des gouvernements précédents, les conservateurs ressemblent aux ex-dirigeants soviétiques qui retouchent les photos afin de faire disparaître les anciens amis devenus les nouveaux ennemis. Ainsi, le gouvernement profite de la remise à neuf des billets de banque pour remplacer par un train le monument au maintien de la paix qui orne les coupures de 10 dollars. Le gouvernement refuse aussi de souligner le 50ᵉ anniversaire de l'attribution du prix Nobel de la paix à Pearson, et ses ministres prennent un malin plaisir à ne jamais citer le nom de l'ancien premier ministre lorsqu'ils retracent dans leurs discours les grands moments de la politique étrangère canadienne. Ce rejet revêt même un caractère mesquin lorsque le ministre des Affaires étrangères, John Baird, efface le nom «Édifice Lester B. Pearson» de l'adresse du ministère apparaissant sur ses cartes professionnelles.

Si un certain nombre de Canadiens se reconnaissent dans la nation guerrière promue par le gouvernement Harper, une majorité d'entre eux rejettent l'intervention en Afghanistan et se montrent fidèles au maintien de la paix. Harper perçoit ce malaise et annonce le retrait des militaires canadiens d'Afghanistan pour 2014. Quant à l'entreprise de démolition des Casques bleus, elle échoue. Les Canadiens, les Québécois et même les indépendantistes québécois résistent à l'assaut et rejettent le déboulonnage «de la statue du Casque bleu[133]».

• • •

À un an des élections générales de 2015, les membres du Conseil consultatif sont parfaitement conscients du caractère central des Casques bleus dans l'imaginaire des Canadiens. Un des invités à leurs débats, Roland Paris, vient de publier une longue étude sur le rapport que les Canadiens entretiennent avec l'internationalisme libéral et la politique étrangère musclée de Harper[134]. Paris analyse un vaste ensemble de sondages et d'enquêtes d'opinion

---

133. David Morin, «Le côté obscur de la force: l'unité nationale, victime collatérale de la "nation guerrière" de Stephen Harper?», *Études internationales*, vol. 44, n° 3, 2013, p. 447.

134. Roland Paris, «Are Canadians still liberal internationalists? Foreign policy and public opinion in the Harper era», *op. cit.*

où les Canadiens sont interrogés sur leur appui à l'ONU et au multilatéralisme, au maintien de la paix, et au rôle plus agressif des Forces armées préconisé par Harper.

La campagne conservatrice contre l'ONU et les Casques bleus porte certains fruits, puisque l'ensemble des données compilées par Paris indique une baisse de l'appui des Canadiens envers ces institutions. Pour autant, les Canadiens conservent très majoritairement une opinion favorable de l'ONU. Sur le maintien de la paix, les données révèlent un appui sans faille. Quant à savoir si les Canadiens acceptent un rôle plus agressif pour leurs Forces armées, les données révèlent qu'une plus grande fierté envers les militaires ne se traduit pas nécessairement par un plus important appui en faveur du militarisme. Paris conclut son étude en soulignant que, après toutes ces années de gouvernement conservateur «les Canadiens manifestent encore une écrasante préférence pour l'internationalisme libéral par rapport à l'option proposée par le premier ministre Harper[135]».

Les Canadiens désirent voir le pays retourner aux opérations de paix, même au prix de pertes humaines, souligne l'étude de Paris. Ici, ils sont en phase avec la réalité du terrain : de plus en plus de missions de paix sont déployées dans des zones de conflits où la paix est fragile, sinon inexistante. Cette situation force d'autres organisations internationales à prendre le relais de l'ONU là où elle ne peut déployer de forces robustes : l'OTAN au Kosovo et en Afghanistan ; l'Union africaine en Somalie ; l'Union européenne au Tchad.

L'étude de Paris et la réalité du nouveau maintien de la paix incitent les membres du Conseil consultatif à présenter à

---

135. *Ibid.*, p. 305 (notre traduction).

Trudeau un ensemble de propositions pour un réengagement du Canada dans les opérations de paix. Ils suggèrent d'offrir à l'ONU des moyens spécialisés pour renforcer ses missions et des spécialistes en médiation. Avec plusieurs autres membres, je suggère de réfléchir au développement d'une force de réaction rapide destinée à intervenir dans la phase initiale d'un déploiement et de mettre sur pied une structure de formation pour les militaires, les policiers et les civils déployés dans les missions de paix. J'attire aussi l'attention de mes collègues sur la conflictualité dans l'espace francophone en Afrique où, sur vingt-cinq pays francophones, seulement onze sont en situation stable. Le Canada, pays membre de la Francophonie, doit s'intéresser à ce problème puisqu'il dispose des ressources humaines et matérielles pour venir en aide aux pays concernés. Toutes ces suggestions sont reprises dans le programme du Parti libéral. Elles servent aussi à élaborer la nouvelle politique de maintien de la paix dévoilée à l'été 2016.

• • •

Le maintien de la paix intéresse particulièrement le ministre Stéphane Dion. C'est en grande partie pour cette raison qu'il me recrute à titre de conseiller politique. Dès mon arrivée, il me demande de travailler sur ce dossier et d'écrire plusieurs discours sur la question. L'élaboration d'une nouvelle stratégie de réengagement du Canada dans les opérations de paix mobilise les énergies de plusieurs ministères, en particulier ceux des Affaires étrangères, de la Défense nationale et de la Sécurité publique, ainsi que le bureau du premier ministre. Au bureau du ministre Dion, c'est Christopher Berzins, le directeur des politiques, et moi-même, qui planchons sur cette question. Nous apportons une vision politique au travail des fonctionnaires et suggérons des idées nouvelles.

En mai et en juin 2016, les équipes de fonctionnaires des Affaires étrangères et de la Défense nationale travaillent sur deux projets complémentaires : la stratégie de réengagement et la création d'un programme visant à financer des projets canadiens ou étrangers liés aux opérations de paix. La création du programme ne soulève aucun obstacle, car son financement relève des Affaires étrangères. La stratégie de réengagement, elle, donne lieu à des accrochages entre le bureau du ministre et les fonctionnaires des Affaires étrangères, et entre les Affaires étrangères et la Défense nationale. Le bureau du premier ministre reste en retrait à cette étape de l'élaboration de la politique de réengagement.

À l'occasion d'une rencontre avec les fonctionnaires des Affaires étrangères, je leur recommande de garder à l'esprit les éléments contenus dans le programme électoral de Trudeau. Les fonctionnaires n'aiment pas ce genre de suggestion, mais en même temps le gouvernement est élu pour mettre en œuvre un programme. Ils en discutent avec leurs vis-à-vis de la Défense nationale. La première mouture de la stratégie de réengagement comporte certains éléments de la plateforme électorale : mise à disposition de l'ONU de contingents militaires et policiers, de personnel spécialisé et d'équipement ; lancement d'une initiative pour la formation du personnel civil et militaire ; appui aux efforts de médiation, de prévention des conflits et de reconstruction. Les fonctionnaires ajoutent d'autres propositions, comme l'élaboration de mesures de protection des civils ; la promotion du rôle des femmes et des filles dans les processus de paix ; et un appui aux stratégies afin de renforcer les États fragiles.

Je trouve cette première mouture satisfaisante, mais Berzins la juge incomplète. Il y ajoute un élément sur l'alerte précoce, un système visant à détecter les conflits avant qu'ils éclatent et à permettre le déclenchement d'une intervention pour les prévenir. Les fonctionnaires rechignent. Ils estiment, non sans raison, cette proposition irréaliste.

L'alerte précoce est difficile à matérialiser et comporte un élément d'ingérence dans les affaires intérieures d'un pays. Pour détecter les prémices d'un conflit, il faut pouvoir installer les éléments d'un système d'alerte précoce directement dans le pays en question. Le gouvernement local risque de rejeter cette intrusion. Dans un monde où le respect de la souveraineté nationale structure le système international, un tel mécanisme apparaît comme une violation de cette souveraineté. Pour autant, Berzins y tient, car, selon lui, le temps est venu d'agir de façon concrète lorsqu'on parle de prévention des conflits. Les fonctionnaires cèdent.

Berzins et moi constatons que dans cette première version la Défense nationale ne chiffre pas ses contributions : ni en hommes ni en équipements. Elle reste vague. Nous allons renseigner le ministre sur cette première version de la stratégie. Dion demande pourquoi la Défense ne chiffre pas ses contributions. J'avance une hypothèse : les militaires n'éprouvent aucun enthousiasme particulier envers les opérations de paix. Ils préfèrent participer aux missions de l'OTAN ou aux coalitions multinationales avec les États-Unis. En effet, au moment où nous définissons notre réengagement avec l'ONU, la Défense nationale est en pourparlers avec le bureau du premier ministre au sujet du déploiement de militaires en Lettonie pour faire respecter la décision de l'OTAN prise en 2014 de renforcer la présence de l'Alliance dans ce pays afin de contrer la menace russe.

Je fais remarquer au ministre que, dans ce cas, les militaires présentent une proposition chiffrée jusqu'au moindre crayon. À mon avis, ils attendent de sécuriser l'engagement en Lettonie avant de chiffrer la proposition sur leur participation au maintien de la paix.

Finalement, en juillet 2016, les militaires obtiennent le feu vert pour le déploiement d'un contingent en Lettonie. Les discussions sur les opérations de paix finissent donc par débloquer et la Défense nationale est maintenant en mesure de chiffrer sa contribution en personnel et en équipement. La politique de réengagement dans les opérations de paix est fin prête à annoncer.

Le 26 août 2016, le gouvernement déroule le tapis rouge. Il mobilise quatre ministres – Affaires étrangères, Défense nationale, Sécurité publique, Développement international – pour une conférence de presse. Cette politique comporte trois éléments : un document d'orientation intitulé *Stratégie de réengagement du Canada dans les opérations de paix de l'ONU*, qui encadre et balise la politique de maintien de la paix pour les prochaines années ; le renouvellement pour cinq ans du Programme international de police en maintien de la paix qui permet au Canada de déployer jusqu'à cent cinquante policiers sur des théâtres d'opérations ; enfin, la création du Programme pour la stabilisation et les opérations de paix doté d'un financement annuel de 150 millions de dollars pour les trois prochaines années et dont le mandat est de soutenir des initiatives pour la prévention des conflits, la médiation, le dialogue et la réconciliation, d'améliorer l'efficacité des opérations de paix, de soutenir les États fragiles et de réagir rapidement aux crises.

La Défense nationale profite de la conférence de presse pour confirmer sa capacité à déployer jusqu'à six cents membres des Forces armées canadiennes dans des opérations de paix de l'ONU. Tout est en place, sauf un élément : où, exactement, le gouvernement désire-t-il déployer la contribution militaire et policière canadienne ? Et c'est là que tout s'enraye.

• • •

La promesse de réengager le Canada dans les opérations de paix de l'ONU occupe une bonne place dans le programme du Parti libéral du Canada[136]. C'est aussi un des thèmes abordés lors de la campagne électorale de 2015. Depuis la fin de la Seconde Guerre mondiale, le maintien de la paix est la manifestation la plus éclatante de l'internationalisme libéral si cher à l'*establishment* politique canadien qui cherche à distinguer le pays sur la scène internationale. À bien des égards, le Casque bleu est devenu un symbole du Canada tout autant que le castor ou la feuille d'érable. Toutefois, les conservateurs répudient ce symbole pendant leur décennie au pouvoir. Ils préfèrent associer le Canada à des coalitions multinationales avec les États-Unis pour participer à des guerres. Ce n'est évidemment pas du goût de Trudeau et des libéraux.

Le retour du Canada dans les opérations de paix fait l'unanimité chez les membres du Conseil consultatif sur les affaires internationales. Lors de la séance du 2 mai 2014, les participants et le chef libéral discutent de la crise en République centrafricaine où, selon l'ONU, un génocide est en préparation. Je rappelle à mes collègues que le Canada connaît la situation sur place pour y être intervenu dans le cadre d'une mission de

---

136. *Changer ensemble*, Parti libéral du Canada, 2015, p. 76.

l'ONU en 1998. Un consensus se dégage au sein du conseil pour engager le Canada dans une mission dans ce pays advenant l'élection d'un gouvernement libéral.

La politique de réengagement annoncée en août 2016 découle en droite ligne des discussions tenues au Conseil consultatif. L'annonce de la mise à disposition de quelque six cents militaires et cent cinquante policiers civils laisse présager une participation substantielle du Canada aux opérations de paix. C'est d'ailleurs dans cet esprit que, pendant l'automne 2016, les fonctionnaires des ministères concernées – Défense nationale, Affaires étrangères et Sécurité publique – et les conseillers des bureaux des ministres travaillent à l'élaboration de plusieurs options de déploiement en Afrique. Le continent africain accueille les six plus importantes opérations de paix de l'ONU : Côte d'Ivoire, Darfour, Mali, République centrafricaine, Soudan du Sud et République démocratique du Congo. Nous éliminons rapidement les deux premières afin de nous concentrer sur les quatre autres, parce que ce sont des missions difficiles où l'ONU a besoin de solides appuis matériels et politiques de la part de ses États membres, particulièrement des pays industrialisés. Ceux-ci disposent de matériel lourd et de contingents spécialisés pour exécuter certaines tâches.

Les quatre opérations de paix que nous ciblons font l'objet d'analyses approfondies. Le ministre de la Défense nationale, Harjit Sajjan, et la ministre du Développement international, Marie-Claude Bibeau, se rendent dans plusieurs d'entre elles. Des fonctionnaires et des militaires séjournent plusieurs semaines en Afrique afin de procéder à une évaluation technique de chacune des opérations de paix et de tenir des discussions politiques avec les différents acteurs sur place : gouvernements ; représentants de la société civile ; leadership des forces de maintien de la paix ; diplomates de pays occidentaux.

Les fonctionnaires canadiens compilent l'ensemble des renseignements recueillis afin de dresser un portrait de chacune des quatre opérations de paix et de formuler un argumentaire appuyant ou non une éventuelle participation du Canada. Sept critères guident leur démarche : évaluer dans quelle mesure le Canada peut avoir un impact réel sur la situation et renforcer les capacités de l'ONU ; défendre les intérêts canadiens, qu'ils soient commerciaux ou géopolitiques ; limiter les risques pour la sécurité des Casques bleus canadiens ; obtenir une bonne visibilité diplomatique ; permettre le transfert de savoir au moyen de la formation en maintien de la paix ; concentrer les efforts du Canada dans les domaines où il dispose d'avantages comparatifs ; enfin, exercer une influence sur les processus de paix.

Les fonctionnaires élaborent ensuite quatre scénarios de déploiement comportant chacun trois options : petite, moyenne ou grande échelle. Le scénario d'un grand déploiement au Mali est celui qui a la faveur de tous. Il couvre les aspects militaire, policier, développemental, diplomatique, de reconstruction et de protection des femmes et des filles dans ce pays. Berzins et moi prenons connaissance de ces scénarios et, après discussions avec nos vis-à-vis à la Défense nationale, donnons notre feu vert. Le ministre Dion et le ministre de la Défense nationale reçoivent un breffage complet avant une rencontre le 1er décembre 2016 avec les ministres membres du Comité du cabinet sur les affaires internationales. La veille, à minuit, je prépare les notes de Dion pour ses collègues. Au comité, le ministre Dion présente les scénarios et ils passent la rampe. Il faut maintenant informer le premier ministre. Pendant ce temps, à l'ONU, le bureau du secrétaire général prépare la nomination d'un général canadien francophone à la tête de la Mission au Mali (MINUSMA).

Tout est prêt pour une rencontre avec Trudeau afin d'obtenir son accord.

Patatras! L'entourage du premier ministre panique. Tout va trop vite, dit-on à son bureau. Certains conseillers veulent s'assurer de bien comprendre les différents scénarios. Dès lors, ils préfèrent reporter l'annonce de la participation à une opération de paix à la fin de janvier 2017. Finalement, après des jours de discussions entre les cabinets ministériels et le bureau du premier ministre, le jeudi 15 décembre, Trudeau reçoit du chef d'état-major des Forces armées, le général Jonathan Vance, un breffage de deux heures sur les différents scénarios et sur la proposition d'un déploiement au Mali. Le premier ministre est satisfait. Il entend en discuter au conseil des ministres vers la fin de janvier au retour des vacances des fêtes. À l'ONU, on se dit prêt à retarder la nomination d'un général canadien à la tête de la MINUSMA. Mais le 6 janvier 2017, nouveau coup de théâtre : le premier ministre congédie Dion.

· · ·

Je quitte le bureau de la nouvelle ministre Chrystia Freeland le 10 février 2017. Son chef de cabinet m'informe que les dossiers que je traite – multilatéralisme, maintien de la paix, Afrique – ne sont pas prioritaires pour elle. Toute son énergie est maintenant concentrée sur les relations avec les États-Unis et la renégociation de l'Accord de libre-échange nord-américain.

Le réengagement dans les opérations de paix est pour l'instant dans les limbes. En fait, jusqu'à l'annonce de Vancouver en novembre 2017, le bureau du premier ministre joue au ping-pong avec les Affaires étrangères et la Défense nationale. À l'évidence, les conseillers de Trudeau le convainquent de rejeter les scénarios envisagés et d'en réclamer de nouveaux, moins ambitieux. Trois raisons expliquent ce retournement : politique, financière et sécuritaire. Le premier ministre et ses conseillers ont perdu toute volonté politique d'engager le Canada dans le règlement d'un conflit. Et les conflits dans lesquels l'ONU s'implique sont souvent violents et inextricables.

Le cas du Mali est à cet égard instructif. Le pays est en effet aux prises simultanément avec des attaques terroristes et un processus de réconciliation nationale difficile. La France, qui assure la sécurité du pays et du régime, est à la fois aimée et détestée par la population et une partie des élites. C'est donc une situation complexe dans laquelle le premier ministre et ses conseillers n'aperçoivent pas de sortie de crise.

Deuxièmement, le déploiement envisagé au Mali est coûteux. Il varie de plusieurs centaines de millions de dollars selon les options retenues. Au moment où le gouvernement anticipe l'augmentation du déficit, cette nouvelle dépense le place dans une situation inconfortable. Enfin, la troisième raison porte sur les risques que cette mission représente pour les futurs Casques bleus canadiens. Le spectre de l'Afghanistan hante le gouvernement et de nombreux Canadiens. En dix ans de présence en sol afghan, le Canada a perdu quelque cent soixante militaires. La mission de l'ONU au Mali n'est en rien comparable à celle de l'OTAN en Afghanistan, mais plus d'une centaine de Casques bleus y sont morts depuis 2014. Trudeau recule. Les risques l'effraient. Dans son esprit, il n'est plus question de déployer un contingent de militaires canadiens. Le message est transmis à l'ONU, et le 2 mars un général belge prend le commandement de la MINUSMA.

Les scénarios de déploiements substantiels maintenant écartés, le premier ministre cherche une porte de sortie pour sauver la face. La réunion de Vancouver approche à grands pas, et le Canada n'a rien à offrir. Les conseillers de Trudeau demandent aux fonctionnaires de proposer d'autres avenues, moins coûteuses et moins risquées. Au cours des mois, les fonctionnaires fournissent une demi-douzaine d'options, toutes rejetées par le bureau du premier ministre.

Vers la fin de l'été 2017, à quelques semaines de l'ouverture de la réunion de Vancouver, les fonctionnaires des Affaires étrangères et de la Défense nationale sont de plus en plus nerveux. Ils relancent le bureau du premier ministre, qui revient à la charge avec une requête inusitée. Il invite les fonctionnaires à ne plus se focaliser sur un déploiement dans une mission en particulier, mais plutôt à réfléchir à des participations génériques aux opérations de paix de l'ONU : un avion de transport ; un groupe d'hélicoptères ; un programme de formation.

Les fonctionnaires sont abasourdis. Depuis un an, ils discutent avec leurs vis-à-vis aux États-Unis, en Europe, en Afrique et à l'ONU d'une ambitieuse proposition de déploiement de militaires et de policiers dans une ou deux opérations de paix. Tous leurs interlocuteurs se préparent à cette éventualité. Et voilà que le premier ministre se ravise. Il recule devant les risques et abandonne ses alliés.

À Vancouver, le premier ministre présente la contribution canadienne de réengagement dans les opérations de paix. Cette contribution est le résultat de consultations de dernière minute, faites dans l'urgence alors même que la conférence ouvre. Elle est modeste et à deux volets. Le premier volet prévoit le financement de programmes ciblés susceptibles d'être mis en œuvre au Canada ou à l'étranger : 24 millions de dollars afin de moderniser les opérations de paix et d'accroître le nombre de femmes dans les missions ; un montant non précisé destiné à appuyer un programme pour prévenir le recrutement et l'utilisation d'enfants soldats ; enfin, un programme de formation pour améliorer la contribution d'un pays partenaire.

Le deuxième volet de la contribution porte sur l'approvisionnement en matériel et le déploiement de personnel. Le Canada est prêt à répondre aux demandes de l'ONU. Il met à sa disposition un avion de transport, un groupe d'hélicoptères et une force de réaction rapide. Toutefois, cette participation en matériel et en personnel n'a rien d'un engagement ferme. Chaque engagement doit être négocié à la pièce, et le gouvernement canadien se réserve la possibilité de revenir sur sa parole au moment de son choix.

Le premier ministre présente cette contribution comme une approche innovatrice et moderne destinée à améliorer les opérations de paix[137]. Elle n'est rien de tout cela. Le Canada ne participe plus aux opérations de l'ONU depuis la mission entre l'Éthiopie et l'Érythrée en 2000. Et, bien entendu, depuis cette époque, les cent vingt-quatre pays contributeurs de Casques bleus n'attendent pas le Canada pour innover et moderniser les opérations de paix. En une quinzaine d'années, l'ONU procède à plusieurs réformes de ses opérations de paix afin d'en améliorer la gestion, le déploiement et l'efficacité. Les programmes canadiens destinés à prévenir l'emploi d'enfants soldats, à recruter

---

137. Discours du premier ministre Trudeau à la Conférence de Vancouver, 15 novembre 2017, p. 3.

plus de femmes dans les missions et à former des contingents de pays participants sont utiles, mais sans plus.

La contribution du Canada au maintien de la paix annoncée à Vancouver n'impressionne personne. À l'ONU, le secrétaire général et les responsables du maintien de la paix sont déçus.

Mais la saga n'est pas terminée pour autant et connaît un nouveau rebondissement. Le 19 mars 2018, à la surprise générale, le gouvernement annonce le déploiement au sein de la mission de l'ONU au Mali (MINUSMA) d'un contingent de Casques bleus composé d'une unité de six hélicoptères et d'un groupe de soutien logistique.

Il est évident que le premier ministre a cédé aux pressions internationales et à celles qui s'exprimaient au sein de son cabinet. Devant certaines décisions de politique étrangère, Justin Trudeau sait se montrer audacieux, mais la plupart du temps, il est réactif plutôt que proactif. Il hésite, il procrastine, il est sujet aux volte-face. Dans le cas de la participation à la mission au Mali, les événements se sont précipités en mars et l'ont forcé à agir. Plusieurs pays alliés qui ont des troupes au Mali, dont l'Allemagne, la France et les Pays-Bas, ont exercé de fortes pressions sur le Canada afin qu'il participe à l'effort commun de maintien de la paix dans ce pays. En particulier, l'Allemagne cherchait un pays disposant d'hélicoptères afin de remplacer les siens sur le terrain.

Au sein du gouvernement, le mécontentement grandit. Plusieurs aux Affaires étrangères font valoir que le Canada est absent sur la scène internationale alors qu'il doit recevoir en juin les leaders des pays du G7 dont certains ont des contingents de Casques bleus à l'étranger. Comme d'habitude, le premier ministre tergiverse. Autour de lui, ses conseillers sont divisés:

les uns sont favorables à une participation, les autres s'y opposent. Finalement, tout se joue dans la semaine du 12 mars. Après plusieurs conversations téléphoniques entre les chefs de gouvernement canadien, allemand et néerlandais, le Canada accepte de répondre positivement à une requête de l'ONU et de fournir du matériel et du personnel à la mission au Mali.

La contribution annoncée demeure limitée. Le Canada ne jouera aucun rôle dans l'accompagnement du processus de paix. Dès lors, il renonce à un de ses rôles traditionnels qui était de s'engager dans la résolution des conflits.

Troisième partie

Le Canada et les grands

Chapitre neuf

Une politique russe influencée par l'Ukraine

L'Ukraine occupe une place disproportionnée dans la politique étrangère canadienne depuis une douzaine d'années, au point où elle empêche la définition et la mise en œuvre d'une politique russe fondée sur la géopolitique et la défense des intérêts nationaux du Canada.

Vaste pays coincé entre la Russie et l'Europe, l'Ukraine accède à l'indépendance en 1991 au moment de l'éclatement de l'Union soviétique. Le Canada est un des premiers pays à reconnaître le nouvel État. Très rapidement, des liens se développent entre les deux pays sous l'impulsion, notamment, de l'importante diaspora ukrainienne canadienne. Celle-ci représente plus de 1,3 million de personnes, pour la plupart résidants des provinces de l'Ouest. Les Ukrainiens ont d'ailleurs établi des racines au Canada depuis la fin du XIXe siècle et se sont déjà bien intégrés à la société canadienne. Plusieurs membres du Parlement fédéral et des législatures provinciales sont des Canadiens d'origine ukrainienne.

La question ukrainienne s'installe dans l'espace médiatique et politique canadien en 2004, lors d'une élection controversée en Ukraine où s'affrontent les partisans d'un pouvoir aux ordres de Moscou et un groupe de partis pro-Occidentaux. Le Canada dépêche une importante délégation d'observateurs sous la direction de l'ancien premier ministre John Turner. Non sans mal, les partis pro-Occidentaux remportent le scrutin. Malgré tout, les tensions politiques demeurent vives en Ukraine et, quelques années plus tard, les prorusses reprennent le pouvoir.

À chaque séquence électorale, le Canada s'ingère de plus en plus dans les affaires intérieures du pays sous couvert de « missions de surveillance » des scrutins. Lors des présidentielles de 2010 et des législatives de 2012, les contingents d'observateurs canadiens arrivent en masse sur place. Or, selon les rapports de l'Agence canadienne du développement international (ACDI) qui finance ces délégations, celles-ci se composent de plus en plus de Canadiens d'origine ukrainienne[138]. Non seulement certains d'entre eux n'ont aucune expérience en observation électorale, mais ils sont perçus comme ayant un préjugé politique envers les partis pro-Occidentaux.

Devant cette situation, l'ACDI recommande au gouvernement canadien de travailler à la surveillance électorale avec l'Organisation pour la sécurité et la coopération en Europe (OSCE), une institution respectée dans ce domaine. À l'époque, Stephen Harper rejette toutes les recommandations de l'ACDI.

Plusieurs facteurs expliquent l'attitude de Harper sur la question ukrainienne. Ces facteurs relèvent des valeurs, de la géopolitique et des calculs de politique intérieure canadienne.

---

138. Mike Blanchfield, *Swingback: getting along in the world with Harper and Trudeau*, *op. cit.*, p. 169 et suivantes.

L'ancien premier ministre garde en mémoire l'histoire douloureuse de l'Ukraine sous le régime communiste, particulièrement sous Staline, responsable de la mort de millions de personnes lors de la grande famine des années trente et de l'exécution de milliers de prisonniers politiques.

L'ancien premier ministre éprouve une véritable aversion pour l'Union soviétique. Son attitude change peu avec la nouvelle Russie, surtout celle de Vladimir Poutine. Le nouveau maître du Kremlin reprend en main le pays, de plus en plus brutalement, après une période de désordre sous Boris Eltsine. Pour Harper, les méthodes du maître du Kremlin sont incompatibles avec les valeurs occidentales. Sur le plan international, Harper décèle en la Russie une menace de plus pour l'Europe. La guerre entre la Russie et la Géorgie en 2008, et les tentatives de Moscou d'influer sur la vie politique dans certaines anciennes républiques soviétiques (Moldavie, Ouzbékistan, Estonie) viennent conforter l'opinion de Harper sur le caractère revanchard et agressif de la Russie.

Enfin, et c'est sans doute l'essentiel, l'appui de Harper à l'Ukraine participe d'un effort de séduction envers la diaspora ukrainienne au Canada, dont le poids électoral grandit.

Ce parti-pris électoraliste gagne en importance lors de la crise russo-ukrainienne de 2014. En décembre 2013, après son rejet d'un accord d'association avec l'Union européenne et son rapprochement avec Moscou, le gouvernement prorusse en Ukraine fait l'objet d'une vive contestation de la part des partis et mouvements pro-Occidentaux. Des milliers d'opposants occupent le centre de la capitale, Kiev, et paralysent la vie économique et politique du pays. John Baird, le ministre canadien des Affaires étrangères, se rend à Kiev et s'ingère dans les affaires intérieures du pays en appuyant ouvertement les contestataires. La situation débouche en février sur des affrontements mortels et la fuite du président. Un régime pro-Occident s'installe. À Moscou, on parle de coup d'État dont les commanditaires sont à Washington et en Europe. En Occident, on y voit plutôt le résultat d'une « révolution ».

Poutine craint ce moment depuis longtemps. Il réagit rapidement. Il s'empare de la Crimée, une région cédée à l'Ukraine par Nikita Khrouchtchev en 1954 et majoritairement russe, et l'annexe. En parallèle, il profite de rébellions prorusses dans l'est de l'Ukraine contre le nouveau gouvernement pour jeter de l'huile sur le feu. Ces événements confirment les pires soupçons de Harper envers la Russie et déclenchent le gel des relations avec le régime de Poutine ainsi que l'adoption de sanctions économiques contre ce pays.

Aujourd'hui, la crise ukrainienne met à mal les relations entre la Russie et le monde occidental. Si, au jour le jour, ses péripéties défraient la chronique, elles ne doivent pas masquer un fait : la crise trouve ses racines dans la lutte géopolitique à laquelle se livrent la Russie et les pays de l'OTAN pour le contrôle des États de l'ancien monde communiste.

· · ·

Un des piliers de la politique étrangère et de défense du Canada repose sur son appartenance à l'OTAN. L'Alliance atlantique naît en 1949 en réaction aux visées agressives de l'Union soviétique en Europe. Le Canada en est un membre fondateur. Les plus grands diplomates canadiens, dont Pearson, participent à la rédaction de sa Charte constitutive. Ce traité de défense collective lie la sécurité des membres européens et ceux de l'Amérique du Nord.

Si l'« ennemi est à l'est », la fonction politique et militaire de l'OTAN va au-delà de la simple opposition à l'Union soviétique. Le rôle essentiel de l'OTAN est, en 1949 comme d'une certaine façon aujourd'hui, de « contenir les Russes, d'impliquer les Américains et de soumettre les Allemands » en Europe, pour reprendre l'expression pour le moins cynique de Lord Ismay, premier secrétaire général de l'organisation.

Depuis sa création, l'OTAN évolue. Elle entreprend désormais des missions de combat (Afghanistan) et de maintien de la paix (Bosnie, Kosovo) sous mandat de l'ONU. Elle s'élargit aux pays d'Europe de l'Est après la chute du communisme et, aujourd'hui, sa frontière touche celle de la Russie. Ce voisinage, cette proximité, empoisonne les relations entre Moscou et les Occidentaux depuis une vingtaine d'années. Pour Moscou en effet, les Occidentaux renient une promesse faite à Gorbatchev lors des discussions sur la réunification de l'Allemagne en 1989-1990 : celle de ne pas étendre l'OTAN jusqu'à ses frontières.

Pour Washington, jamais une telle promesse n'a été formulée. Qui dit vrai ? Difficile de trancher, même si la recherche historique tend à donner raison à Gorbatchev. À l'époque, les conversations sur le sujet se déroulaient entre quelques dirigeants américains, européens et soviétiques. Tout indique que les Russes ont accepté à reculons l'expansion de l'OTAN à la Pologne, la Hongrie ou la République tchèque. Ce qu'ils ne toléraient pas, c'était de voir l'Alliance absorber des pays qui avaient une frontière commune avec la Russie : les États baltes, et un jour l'Ukraine. Pour eux, il s'agissait d'une ligne rouge.

Le Canada n'est pas dans le coup lors des premières discussions sur cette question. L'ancien premier ministre Mulroney n'a pas abordé cette question dans ses *Mémoires*. Tout au plus, en 1991, à l'occasion d'un discours à l'Université Stanford, en Californie, il s'était prononcé pour l'admission des États de l'ancienne Europe de l'Est «dès qu'ils auront adopté pleinement et de manière irréversible les valeurs démocratiques transatlantiques que nous partageons[139]», écrit-il. Sa proposition, souligne-t-il, a choqué les Britanniques. Pourquoi? Il n'en dit rien. Mais il était à l'époque trop tôt pour parler de l'expansion de l'OTAN, et Mulroney a quitté le pouvoir deux ans plus tard.

Chrétien a hérité de ce dossier d'une extrême délicatesse. Il était bien conscient de l'opposition des Russes, mais en 1994 à Bruxelles il a insisté pour accueillir trois nouvelles démocraties de l'Est au sein de l'Alliance. Les premières raisons offertes par Chrétien pour cette démarche étaient pour le moins éclectiques, sinon complètement frivoles: la Roumanie «parce qu'elle avait acheté de nos réacteurs nucléaires [...]; l'Ukraine, parce qu'un million de Canadiens sont d'origine ukrainienne; et la Slovénie», dont il aimait bien le premier ministre[140]. À la première vague d'admissions en 1999, l'OTAN a ignoré complètement la proposition de Chrétien et n'a retenu la candidature d'aucun de ces trois pays. Lors de discussions subséquentes avec les alliés, Chrétien est revenu à la charge en faveur de l'admission. Son argumentaire reposait cette fois-ci sur des considérations morales. Puisque ces pays adoptaient la démocratie et l'économie de marché, l'OTAN devait leur ouvrir ses portes.

Ce qui frappe à la lecture des mémoires de Mulroney et Chrétien, est l'absence totale de réflexion sur les conséquences de l'expansion de l'OTAN à l'est. Ni l'un ni l'autre ne se préoccupent le moindrement des enjeux stratégiques ou des intérêts de la Russie par rapport à l'élargissement. Ils n'anticipent

---

139. Brian Mulroney, *op. cit.*, p. 1043.
140. Jean Chrétien, *op. cit.*, p. 361-362.

d'aucune façon les conséquences futures d'un tel geste. Ils ignorent toute la géopolitique de l'entreprise : plus l'OTAN s'élargit à l'est, plus elle s'approche des frontières russes, et plus la Russie se sent menacée. Pour Chrétien, la question semble se résumer à une petite querelle. « Jamais les Russes ne se réjouiront d'une expansion de l'OTAN, écrit-il. Ils seront tout aussi mécontents dans dix ans que maintenant, alors aussi bien faire maintenant ce qui devra être fait de toute façon un jour. »

Et pourtant, au fil des ans, l'élargissement à l'est creuse le fossé entre l'OTAN et Moscou. En 2007, à Munich, devant les participants à une conférence sur la sécurité internationale, Poutine dresse un violent réquisitoire contre l'hégémonie américaine et l'élargissement de l'OTAN, qu'il estime dirigé contre la Russie. « Il est évident, je pense, que l'élargissement de l'OTAN n'a rien à voir avec la modernisation de l'alliance ni avec la sécurité en Europe, dit celui-ci. Au contraire, c'est un facteur représentant une provocation sérieuse et abaissant le seuil de la confiance mutuelle. Nous sommes légitimement en droit de demander ouvertement contre qui cet élargissement est opéré. Que sont devenues les assurances données par nos partenaires occidentaux après la dissolution du pacte de Varsovie ? Où sont ces assurances ? On l'a oublié[141]. » Encore une fois, les Occidentaux ignorent les Russes et, en 2008, l'OTAN ouvre la porte à une éventuelle adhésion de la Géorgie et de l'Ukraine. Cette fois, Poutine réplique : il considère cela comme une menace directe envers la Russie.

• • •

---

141. Discours de Vladimir Poutine à la Conférence de Munich, Agence Novosti, 10 février 2007.

Les libéraux font face à cette délicate situation géopolitique dès leur arrivée au pouvoir en 2015. Dion a des sentiments partagés envers l'OTAN. Il admet que l'Alliance est un pilier de l'architecture de sécurité du Canada et du monde occidental, mais il pense que son expansion vers l'Est fut une erreur après l'admission de la Pologne, la Hongrie et la République tchèque. Il estime aussi que l'OTAN fait montre d'une grande agressivité envers la Russie. Je partage entièrement son point de vue. Nos rapports avec les fonctionnaires du ministère, tous aveuglément convaincus de la bonté intrinsèque de l'OTAN, sont difficiles. En avril 2016, Dion et moi rencontrons les fonctionnaires responsables du dossier à propos du prochain sommet de l'OTAN qui a lieu dans quelques semaines à Bruxelles. À cette occasion, plusieurs pays, dont le Canada, doivent annoncer leur contribution au renforcement de la présence de l'Alliance dans les pays baltes afin de les rassurer par rapport à la Russie.

Les fonctionnaires présentent au ministre un document sur les enjeux du sommet et une évaluation de la « menace » russe. Il y a aussi des détails sur une proposition faite au Canada par l'OTAN de diriger un contingent multinational en Lettonie. Le document reprend mot pour mot la rhétorique belliqueuse du Pentagone et des officines de l'OTAN envers la Russie.

Je demande aux fonctionnaires ce qu'ils pensent de ce document et de l'évaluation de la « menace ». Ils répondent qu'ils font confiance à leurs sources. La réponse ne me surprend pas. Comment peuvent-ils faire autrement ? Les Américains et les Britanniques fournissent les évaluations de la « menace » russe, et le Canada est dans l'impossibilité de les valider indépendamment. D'ailleurs, les fonctionnaires canadiens cherchent-ils vraiment à vérifier ces informations ? Depuis plus de soixante-cinq ans, les membres anglo-saxons de l'OTAN (États-Unis,

Royaume-Uni et, parfois, le Canada) imposent à tous les autres membres leur lecture des affaires du monde. Cette situation n'échappe à aucun observateur le moindrement intéressé aux relations internationales. « Il faut avoir vu un sommet de l'OTAN de l'intérieur pour mesurer l'emprise de l'esprit militaire américain sur la maison[142] », écrit l'ancien ministre français des Affaires étrangères, Dominique de Villepin.

Quelques minutes avant la rencontre avec les fonctionnaires, j'entre dans le bureau de Dion pour lui faire part de mon désaccord avec l'évaluation de la « menace » et la proposition de prendre la tête d'un contingent multinational. Je pense que ce déploiement est militairement inutile et qu'il jette de l'huile sur le feu. Poutine peut se permettre de fomenter des troubles en Géorgie et en Ukraine, deux pays situés en dehors de l'OTAN, dis-je au ministre, mais il comprend que toute intervention dans un pays de l'Alliance risque le déclenchement d'une crise, sinon d'une guerre. J'avance que notre contribution doit plutôt être symbolique. Nos militaires sont plus utiles dans une mission de paix en Afrique que dans un pays balte.

Le ministre rejette mon argumentaire concernant le déploiement, mais il n'aime pas le document, d'autant plus que celui-ci parle peu de la dimension politique et diplomatique de la relation entre l'OTAN et la Russie. Devant les fonctionnaires, il se fâche. Il leur demande pourquoi le document porte essentiellement sur des mesures militaires et ne dit mot des aspects diplomatiques, aspects pourtant mis de l'avant par de nombreux pays dont le Canada. « Je vous rappelle que le gouvernement a

---

142. Dominique de Villepin, *Mémoire de paix pour temps de guerre*, Éditions Grasset, 2016, p. 246.

changé et que nous voulons changer de ton et de politique dans notre relation avec la Russie», leur dit-il. Il leur demande de réécrire le tout et de laisser tomber le langage martial.

Quelques jours plus tard, une nouvelle version du document élimine la rhétorique belliqueuse et remet de l'avant les aspects diplomatiques de la relation avec la Russie. Si, sur la forme, le ton est plus diplomatique, sur le fond, la politique reste la même : le Canada accepte de diriger un contingent multinational en Lettonie avec une contribution de quatre cent cinquante militaires canadiens. Je perds cette bataille, me dit le directeur des politiques, Christopher Berzins.

L'OTAN revient nous hanter au début d'octobre 2016. L'Association du Traité de l'Atlantique invite le ministre à s'exprimer sur l'Alliance devant les participants de son congrès annuel à Toronto. La rédaction du discours fait l'objet d'un vif débat entre le ministre, moi-même et les fonctionnaires du ministère. Dion me demande d'écrire un premier jet. Je lui remets rapidement un texte où se retrouvent tous les éléments classiques de la rhétorique otanienne. Toutefois, après quelques paragraphes, j'oriente le discours dans une autre direction, celle de notre engagement dans le multilatéralisme et les opérations de paix afin de régler les conflits. Je souligne que l'OTAN n'est pas la seule organisation sur laquelle compte le Canada pour assurer la paix mondiale. Il y a aussi l'ONU, d'où la promesse de Trudeau de réengager le Canada dans les opérations de paix. Dion est satisfait du discours, mais il tique sur l'expression «OTAN, facteur de paix». Il me demande de la changer pour «OTAN, levier important pour la paix». Ce n'est évidemment pas la même chose, et le ministre tient à ce que cela se sache.

Le discours est prêt, et le ministre s'envole pour Toronto. Pourtant, l'affaire prend un autre tour. Le discours tombe entre les mains du sous-ministre adjoint responsable des questions de sécurité internationale. À l'évidence, il n'apprécie pas la direction qu'emprunte le discours, surtout en ce qui concerne le maintien de la paix. Et comme il participe aussi à la conférence, il est dans le même hôtel et intercepte le ministre pour lui soumettre d'importants changements.

La nouvelle version remet l'OTAN au centre du discours et célèbre ses vertus. Le sous-ministre adjoint maintient quelques paragraphes sur le multilatéralisme et le retour du Canada dans les opérations de paix. Il rappelle au ministre qu'il prononce un discours devant un auditoire qui attend de lui une déclaration forte sur l'OTAN. Dion ne se laisse nullement convaincre et rejette la nouvelle version. L'attachement du Canada à l'OTAN est de notoriété publique, dit-il, et il n'a pas l'intention de radoter. Il maintient la première version du discours avec de légères modifications[143].

. . .

La Russie de Poutine est loin d'être une démocratie à l'occidentale. Les partis d'opposition se font rares, et la liberté d'expression se réduit comme peau de chagrin. La plupart des médias sont aux ordres du gouvernement et le régime en place contrôle tous les leviers des pouvoirs exécutif, législatif et judiciaire. Des opposants sont assassinés dans des conditions jamais éclaircies. En même temps, malgré un poids économique qui ne dépasse pas le produit national brut de l'Australie, la Russie est un pays

---

143. Discours du ministre Dion à la 62e Assemblée générale de l'Association du Traité de l'Atlantique, 11 octobre 2016.

qui compte sur la scène internationale. Son arsenal nucléaire reste impressionnant et équivalent à celui des États-Unis, et son potentiel militaire conventionnel est redoutable.

La Russie dispose de peu de bases et de points d'appui à l'étranger, contrairement aux États-Unis et à la France qui peuvent se déployer partout dans le monde. Mais elle demeure en mesure de peser sur un conflit, comme l'illustre son intervention en Syrie depuis 2015. Enfin, sur le plan diplomatique, elle exerce une influence non négligeable de par son statut de membre permanent du Conseil de sécurité de l'ONU et par sa présence dans toutes les organisations et sur toutes les tribunes internationales.

Le Canada ne peut ignorer la Russie. Avec les États-Unis au sud, la Russie, au nord, est son seul autre grand voisin. Depuis leur établissement en 1941, les relations entre les deux pays ont traversé deux périodes très distinctes. Jusqu'à l'éclatement de l'Union soviétique en une quinzaine de républiques indépendantes en 1991, les relations étaient plus épisodiques que constantes et marquées par les soubresauts de la guerre froide et de la détente. Elles reposaient sur la géopolitique plus que sur l'économie ou sur des valeurs partagées. En 1955, Pearson est devenu le premier parmi les ministres des Affaires étrangères d'un pays de l'OTAN à s'être rendu en Union soviétique pour conférer avec les nouveaux dirigeants qui venaient de succéder à Staline. Il cherchait à établir un dialogue et à faire baisser les tensions Est-Ouest. Les relations entre les deux pays ont été réduites au minimum pendant les pires moments de la guerre froide (invasion de la Hongrie par l'URSS en 1956, crise de Cuba en 1962), et c'est avec l'arrivée au pouvoir de Pierre Elliott Trudeau qu'elles ont changé.

Trudeau était plus ouvert que ses prédécesseurs à un réchauffement des relations avec l'URSS. Idéologiquement moins sectaire, il a aussi profité d'une conjoncture mondiale particulière. La politique de détente promue par le président américain Richard Nixon et le chancelier allemand Willy Brandt a permis un dégel des relations Est-Ouest. Les contacts entre dirigeants canadiens et soviétiques se sont multipliés. L'économique a suivi et on a même trouvé des voitures Lada dans les rues de Montréal.

Le sport était aussi à l'honneur. En 1972, la «Série du siècle», où des équipes de hockey canadienne et soviétique se sont affrontées dans quatre villes du Canada et une de l'Union soviétique, a offert une autre facette de la diplomatie entre les deux pays. En 1983, un personnage inconnu à l'époque, Mikhaïl Gorbatchev, a effectué une visite de trois semaines au Canada à titre de ministre de l'Agriculture. Il y a découvert les performances industrielles et économiques du secteur agricole canadien, dont une partie de la production s'exportait alors dans son pays. On dit de cette visite qu'elle a convaincu Gorbatchev de lancer le processus de libéralisation économique et de démocratisation politique de l'Union soviétique lorsqu'il a accédé au pouvoir suprême deux ans plus tard.

Brian Mulroney et Jean Chrétien ont approfondi les relations avec Moscou, en particulier sur le plan économique. Les deux premiers ministres ont organisé des visites importantes de gens d'affaires. En même temps, ils ont tout fait afin de faciliter l'entrée de la nouvelle Russie dans le concert des nations au moment de l'effondrement de l'Union soviétique. Une nouvelle période s'ouvrait dans les relations entre le Canada et la Russie. Chrétien, en particulier, a travaillé d'arrache-pied pour intégrer la Russie dans les forums occidentaux. En 1995, à l'occasion du sommet du G7 à Halifax, il a invité Boris Eltsine à venir s'asseoir à la table, et personne ne s'y est opposé[144]. Il faudra attendre 1998 avant que la Russie se joigne formellement au groupe qui devient le G8. Elle ne reçoit plus d'invitation à partir de 2014, après l'intervention russe en Ukraine la même année[145].

Si les relations entre la Russie et le Canada ont connu des hauts et des bas depuis une vingtaine d'années, un aspect les rend inévitables : l'Arctique. En son temps, Pierre Trudeau l'a souligné lorsque son gouvernement a publié en 1970 un nouvel énoncé sur la diplomatie canadienne, *Politique étrangère au service des Canadiens*. Dans ce document, Trudeau a justifié en grande partie l'approfondissement des relations avec Moscou par le fait que l'Union soviétique, « comme le Canada, est un pays arctique[146] ». Cette centralité de l'Arctique est revenue habiter le discours canadien dix-sept ans plus tard, mais dans un tout autre registre : la nouvelle menace soviétique.

Les conservateurs au pouvoir en 1987 ont publié un autre livre blanc sur la défense aux accents alarmistes. Selon l'évaluation contenue dans le document, le Canada faisait face à une nouvelle menace de Moscou, en particulier de la part de ses sous-marins nucléaires qui pouvaient emprunter « les eaux canadiennes de l'Arctique comme route de rechange pour passer de l'Arctique à l'Atlantique et attaquer la côte est nord-américaine et les navires alliés[147] », lit-on dans le document.

---

144. Jean Chrétien, *op. cit.*, p. 357.

145. Le G7 n'est pas une organisation internationale, mais un forum informel de discussion. C'est l'hôte de chaque rencontre qui détermine, après consultation avec les autres participants, qui est invité ou non.

146. Ministère des Affaires extérieures, *Politique étrangère au service des Canadiens, section Europe*, 1970, p. 20.

147. Ministère de la Défense nationale, *Défis et Engagements. Une politique de défense pour le Canada*, 1987, p. 11.

Outre la menace soviétique, le Canada devait aussi se préoccuper de la protection de sa souveraineté. Et dans l'Arctique, cette souveraineté était menacée par... les États-Unis. Le passage du Nord-Ouest faisait en effet l'objet d'un contentieux entre les deux pays. Pour le Canada, ce passage se trouve dans ses eaux territoriales, donc tout navire doit demander la permission au gouvernement pour le traverser. Washington le considère comme un détroit international sujet à un droit de passage automatique.

La double menace – soviétique et américaine – et les responsabilités internationales du Canada, soulignait le document, incitaient le gouvernement à acquérir des sous-marins à propulsion nucléaire[148]. L'idée était audacieuse, mais a fait long feu. Deux ans plus tard, en avril 1989, devant la situation économique difficile du pays et avant même la chute du mur de Berlin en novembre et la disparition de la menace soviétique, le gouvernement conservateur annulait ce programme d'achat.

• • •

Aujourd'hui, sous Justin Trudeau, l'Arctique revient au-devant de l'actualité. La place grandissante que prend la région arctique dans les relations internationales par les enjeux qu'elle recouvre (fonte rapide des glaces, passage du Nord-Ouest, ressources naturelles, sécurité, environnement, droits des autochtones) attise la compétition entre plusieurs pays nordiques dont la Russie et le Canada, mais pas seulement eux. En effet, au-delà des îles et des terres, l'Arctique est aussi une mer, pas encore chaude, mais sur le point de devenir une voie de passage très fréquentée avec tout ce que cela comporte de dangers

---

148. *Ibid.*, p. 51-52.

environnementaux, de contestations légales et de frictions géo-politiques. Ainsi, la Chine, nouvelle superpuissance, entre dans le jeu en septembre 2017 et demande à Ottawa de permettre à son unique brise-glace de traverser le passage du Nord-Ouest.

L'Arctique, contrairement à l'Antarctique, ne relève d'aucun régime juridique particulier[149]. Huit pays se considèrent comme des nations arctiques et exercent leur souveraineté sur les eaux et la banquise de cette région. À ce titre, ils créent en 1991 un forum intergouvernemental, le Conseil de l'Arctique, où ils débattent des questions relatives à l'environnement, aux droits des autochtones, au développement durable. Les questions militaires ne font l'objet d'aucune discussion. Six associations autochtones siègent aussi au conseil à titre de membres perma-nents, et une douzaine de pays ont le statut d'observateur.

De par l'immensité de son territoire, la Russie occupe une place centrale dans l'Arctique. En fait, elle demeure la puis-sance dominante dans cette région du monde où les États-Unis jouent un rôle de second plan[150]. Dans cet espace géographique, la Russie compte de nombreuses bases terrestres et navales où une bonne partie de sa flotte de sous-marins nucléaires jette l'ancre. Les ressources naturelles – pétrole, gaz, minerai – sont importantes, mais leur exploitation difficile risque de cau-ser des dommages à l'environnement. Quoi qu'il en soit, la fonte des glaces augmente l'activité humaine. Cette accélération préoccupe les nations nordiques, en premier lieu le Canada.

---

149. Le Traité sur l'Antarctique signé en 1959 par douze pays fait de ce continent une zone neutre à vocation scientifique. Le traité gèle les revendications territoriales, protège l'environnement et interdit les activités militaires.

150. Andrea Charron, Joël Plouffe et Stéphane Roussel, « The Russian Arctic hegemon: Foreign policy implications for Canada », *Canadian Foreign Policy Journal*, vol. 18, n° 1, 2012, p. 38-50.

Lorsque les libéraux arrivent au pouvoir en 2015, les relations entre le Canada et la Russie sont très mauvaises. L'intervention militaire russe en Ukraine un an plus tôt et la réplique occidentale sous forme de sanctions contre la Russie tendent les relations entre Ottawa et Moscou. Les deux capitales limitent considérablement leurs interactions, même chez les fonctionnaires. Cette situation désole profondément le ministre Dion, qui se demande comment changer la donne.

Dion reprend son bâton de professeur. Il se veut pédagogue. Pour lui, la raison, et non les passions, doit dicter le rétablissement des relations avec la Russie. Il faut donc fonder un nouveau dialogue avec Moscou sur une politique d'ouverture et sur les intérêts bien sentis entre les deux États. Trois mois après son entrée en fonction, Dion définit la ligne à suivre du gouvernement Trudeau envers certains pays dont les régimes lui déplaisent. « Il est nécessaire d'entretenir un dialogue avec des régimes avec lesquels nous sommes en désaccord si nous voulons réaliser des progrès, dit Dion dans un discours à Ottawa. Ne pas aimer un régime est une chose, mais refuser de lui parler et croire que le progrès est tout de même possible est une erreur[151]. » La Russie, mais aussi l'Iran et la Corée du Nord sont clairement visés.

Deux mois plus tard, toujours à Ottawa, Dion précise sa pensée. À l'occasion d'une conférence à l'Université d'Ottawa, lui et moi travaillons sur un discours où il définit la philosophie générale de la politique étrangère du gouvernement Trudeau et son application à certains cas, dont la relation avec la Russie. Dion y conçoit son principe directeur de « conviction

---

151. *Établir une politique étrangère pour l'avenir du Canada*, discours du ministre Dion au Forum d'Ottawa 2016, 28 janvier 2016.

responsable » dont je parle au chapitre quatre. Le Canada défend des convictions – la liberté, la démocratie, les droits de la personne, l'égalité homme-femme –, tout en tenant compte des conséquences de ses actes au sein d'une communauté internationale imparfaite. Il doit être responsable. Face au monde, le Canada doit s'engager les yeux ouverts, et non pas se retirer.

La Russie est un exemple tout indiqué où la « conviction responsable » s'applique. Si les relations actuelles sont mauvaises, dit Dion, elles n'étaient guère plus reluisantes lors de la guerre froide. Établissant un parallèle entre les deux époques, Dion rappelle que, aux pires heures de l'affrontement Est-Ouest le Canada a maintenu le dialogue avec l'Union soviétique malgré la nature autoritaire du régime en place. Et ce dialogue s'est révélé profitable.

Si la politique canadienne de désengagement du gouvernement Harper « avait été en vigueur en 1972, dit le ministre, il aurait été impossible d'organiser la Série du siècle entre le Canada et l'URSS [...] qui a contribué à renforcer les liens entre nos cultures et nos peuples durant une période de grande tension[152] ». Mais il y a pire. « Il aurait également été impossible d'inviter le jeune Mikhaïl Gorbatchev au Canada en 1983. [...] C'est en Ontario et en Alberta qu'il a constaté pour la première fois l'inefficacité considérable du système agricole soviétique comparativement au nôtre », lance Dion aux participants à la conférence.

Le dialogue ouvre des perspectives nouvelles et, dans le cas de la visite de Gorbatchev, il alimente un désir qui a provoqué une véritable révolution démocratique en Russie. Il permet aussi de garder ouverts des canaux de communication qui peuvent se

---

152. *Un principe directeur pour le Canada dans le monde : la conviction responsable*, discours du ministre Dion à l'Université d'Ottawa, 29 mars 2016.

révéler profitables à toutes les parties, particulièrement pour l'Ukraine. « Que le Canada ait coupé les ponts avec la Russie n'a profité à personne, ni aux Canadiens, ni au peuple russe, ni à l'Ukraine, ni à la sécurité dans le monde[153] », rappelle le ministre à tous ses interlocuteurs chaque fois qu'il le peut.

Il y a plus. Le dialogue avec la Russie est nécessaire et incontournable lorsqu'il s'agit pour un pays comme le Canada de défendre ses intérêts vitaux. L'Arctique en est un bon exemple, et Dion l'utilise à plusieurs reprises afin de promouvoir sa politique d'ouverture. Et cette politique est d'autant plus importante que la plupart des spécialistes s'entendent pour dire que le Canada et la Russie partagent des intérêts dans cette région du monde.

Avant la crise ukrainienne, Michael Byers de l'Université de Colombie-Britannique, un des meilleurs spécialistes de l'Arctique, avance l'idée d'un « axe » Canada-Russie dans cette région. En particulier, écrit celui-ci, il y a convergence entre les deux pays sur la souveraineté de chacun sur ses voies de navigation. « Le Canada considère que le passage du Nord-Ouest fait partie de ses eaux intérieures, écrit-il. La Russie tient d'ailleurs le même langage à propos de la route maritime du Nord[154]. » D'ailleurs, en 1982, les deux pays ont travaillé conjointement à la rédaction de la Convention des Nations Unies sur le droit de la mer afin de codifier le droit des États côtiers à exercer leurs pouvoirs réglementaires sur la circulation maritime dans les zones d'eaux glaciales.

Le 29 septembre 2016, à l'occasion du vingtième anniversaire de la création du Conseil de l'Arctique, Dion revient sur le

---

153. *Ibid.*

154. Michael Byers, « Toward a Canada-Russia Axis in the Arctic », *Global Brief*, hiver 2012, p. 22 (notre traduction).

renforcement de la relation avec la Russie. Brossant un tableau de l'ensemble des défis auxquels les huit pays membres du conseil doivent faire face, le ministre cible en particulier la Russie, et pour cause. « Je tiens à insister sur la relation cruciale qui doit exister entre le Canada et la Russie, dit-il. Près de 50 % du Nord se trouve en Russie et environ 25 %, au Canada. À nous deux, nous contrôlons 75 % du Nord[155]. »

Dès lors, Dion applique son principe directeur sur la « conviction responsable » afin de justifier son entreprise d'engagement avec les Russes. « La coopération avec la Russie sur la gamme complète des enjeux de l'Arctique est manifestement dans notre intérêt, dit-il. Lorsque j'ai rencontré le ministre Lavrov en juillet, nous avons fait de la coopération dans l'Arctique l'une de nos priorités. Il ne pourrait en être autrement. » Et comme les décisions se prennent par consensus au conseil, rien n'est possible sans collaboration entre le Canada et la Russie, malgré les difficultés qu'elle présente.

· · ·

La détermination de Dion à rétablir les relations avec la Russie se heurte rapidement aux groupes de pression pro-ukrainiens. Ces groupes s'organisent autour du Congrès des Ukrainiens canadiens fondé en 1940, de députés et de sénateurs de tous les partis représentés au Parlement, et de plusieurs petites organisations, certaines nées dans la foulée de l'indépendance de l'Ukraine en 1991 ou après l'attaque russe contre ce pays en 2014. Ils s'appuient aussi sur les quelque 1,3 million de Canadiens d'origine ukrainienne installés majoritairement dans l'Ouest.

---

155. Discours de la secrétaire parlementaire Goldsmith-Jones, au nom du ministre Dion, soulignant le vingtième anniversaire du Conseil de l'Arctique, 29 septembre 2016.

Parmi les parlementaires, la ministre des Affaires étrangères Chrystia Freeland, elle-même d'origine ukrainienne, se distingue par son activisme pro-ukrainien. En juillet 2014, quelques mois après son élection comme députée, elle met de l'avant ses origines pour justifier une prise de position forte du Parti libéral envers l'Ukraine et contre la Russie. À titre de membre du Conseil consultatif de Trudeau, je réagis immédiatement et j'écris au coprésident du groupe, le député Marc Garneau. Je lui dis ne pas aimer que l'on ethnicise la politique étrangère, et que l'appartenance ethnique ne donne aucun poids à une position. Si le Parti libéral décide d'entrer dans cette logique, entretenue par les conservateurs afin de recruter des électeurs, la politique étrangère risque d'être ingérable.

À l'époque où Dion est aux Affaires étrangères, Freeland occupe les fonctions de ministre du Commerce international. Elle est parmi les Canadiens interdits de séjour en Russie après l'adoption par Moscou de sanctions contre le pays, en représailles aux sanctions canadiennes imposées après l'attaque russe contre l'Ukraine. Freeland dépense une énergie considérable à approfondir les relations avec l'Ukraine et à bloquer toutes les initiatives de son collègue en faveur d'une meilleure relation avec la Russie.

Ainsi, le 19 juillet 2016, Dion se rend au bureau du premier ministre afin de discuter des relations avec la Russie. D'autres ministres assistent à la rencontre, dont Freeland. Dion plaide l'importance du dialogue avec Moscou, d'autant que plusieurs entreprises québécoises ne peuvent accéder au marché russe à cause des sanctions alors que d'autres pays, comme la France, ne se gênent pas pour signer des contrats avec les Russes. Dion cherche également l'appui du premier ministre avant sa rencontre du 25 juillet avec son homologue russe, Sergueï Lavrov.

On m'apprend que la discussion se déroule mal. Freeland s'oppose à tout réchauffement avec la Russie. Trudeau, hésitant et incapable de préciser sa pensée sur les relations canado-russes, se range derrière elle.

Le ministre prépare sa rencontre avec Lavrov. Les fonctionnaires envoient à son bureau le plan de conversation avec son homologue russe. Les premiers mots portent sur l'Ukraine. Je saute de ma chaise et rappelle à Dion qu'il est ministre des Affaires étrangères du Canada et non de l'Ukraine. La question ukrainienne doit passer en dernier. Et je l'invite à ouvrir la rencontre en français, car Lavrov le parle très bien.

Au lendemain de la rencontre entre Dion et Lavrov, les groupes de pression pro-ukrainiens, et même certains membres du gouvernement ukrainien, critiquent vivement ce timide rapprochement avec la Russie. Une représentante d'un groupe de Canadiens d'origine ukrainienne dénonce dans un hebdomadaire très lu par l'élite politique à Ottawa la rencontre avec Lavrov et demande à Dion de revenir dans le droit chemin, c'est-à-dire d'appuyer sans condition la cause ukrainienne[156].

Quelques semaines plus tard, en octobre 2016, le vice-ministre ukrainien des Affaires étrangères en visite à Ottawa déclare au *Globe and Mail* que son pays «est mécontent de voir le gouvernement Trudeau reprendre sa collaboration avec les Russes à propos de l'Arctique[157]». Cette fois, c'en est trop. J'envoie un courriel au chef de cabinet et à tous les conseillers politiques où je demande de rappeler à ces gens que nous finançons leur

---

156. Oksana Bashuk Hepburn, «Canada should do more for Ukraine», *The Hill Times*, 10 août 2016, p. 14.

157. Steven Chase, «Arctic conference draws concern from Ukraine», *The Globe and Mail*, 4 octobre 2016, p. A5.

gouvernement, formons leurs militaires et appuyons leur cause, et qu'ils devraient à tout le moins faire preuve de gratitude. On me répond que cet officiel ukrainien est en ce moment reçu par le sous-ministre pour lui remémorer les bonnes manières.

Depuis le congédiement de Dion en janvier 2017, les relations avec la Russie se détériorent rapidement. Devenue ministre des Affaires étrangères, Mme Freeland prend un malin plaisir à décrire la Russie comme l'épouvantail numéro un sur la scène internationale. Lors d'un discours détaillant les grandes lignes de la politique étrangère canadienne prononcé le 6 juin 2017 devant la Chambre des communes, elle n'hésite pas à la plus tendancieuse des comparaisons. Alors que les présidents américain et français rencontrent le président Vladimir Poutine, la ministre met sur un pied d'égalité les terroristes de l'État islamique et la Russie[158].

Quelques mois plus tard, le gouvernement enfonce le clou. Il fait adopter par les députés la Loi sur la justice pour les victimes de dirigeants étrangers corrompus qui impose des sanctions à des individus qui sont, « selon le gouvernement du Canada, responsables ou complices de violations graves des droits de la personne ou d'actes de corruption à grande échelle[159] ». Malgré sa portée universelle, cette loi vise essentiellement la Russie. Le 3 novembre 2017, le Canada annonce des sanctions contre une trentaine de Russes.

Cette attitude d'extrême hostilité étonne certains spécialistes canadiens en relations internationales. Ainsi, Irvin Studin, directeur de la revue de politique étrangère *Global Brief*, juge

---

158. Discours de la ministre des Affaires étrangères, 6 juin 2017.

159. Ministère des Affaires étrangères, *Le Canada impose des sanctions contre des individus liés à des violations des droits de la personne et à des actes de corruption*, communiqué de presse, 3 novembre 2017.

sévèrement l'aveuglement du gouvernement canadien envers la Russie. «Une position canadienne qui prétend appuyer l'Ukraine ou défendre les intérêts canadiens en Ukraine par une hostilité franche et ouverte envers la Russie est […] un exercice d'idiotie stratégique : elle n'aide ni l'Ukraine (qui ne peut s'épanouir sans un réengagement de la Russie) ni les intérêts fondamentaux du Canada dans l'Arctique (et en Europe d'ailleurs)[160]», écrit-il. Le spécialiste y voit même un danger pour la paix et la sécurité. «Qui plus est, poussée à sa conclusion logique, cette position pourrait même présager la guerre avec la Russie – ce qui irait encore une fois à l'encontre de tout intérêt canadien en Ukraine, dans l'Arctique et en Europe – et même la déstabilisation de la Russie, voire son effondrement. »

· · ·

L'empressement avec lequel le gouvernement canadien cède aux demandes des groupes pro-ukrainiens révèle sa faiblesse par rapport à ceux-ci et sa crainte de perdre des votes parmi les électeurs canadiens d'origine ukrainienne. Sur un plan plus politique, il souligne la force et l'influence des différents groupes qui soutiennent une cause : l'Ukraine, Israël, les Tamouls du Sri Lanka. Ces groupes interviennent régulièrement dans la vie politique canadienne, particulièrement en période électorale, là où la concentration de leurs partisans dans plusieurs circonscriptions peut les faire basculer d'un parti à un autre.

Plusieurs observateurs soulignent la montée croissante du poids de ces groupes, surtout à l'époque où les conservateurs sont au pouvoir. L'appui sans réserve de Stephen Harper à Israël

---

160. Irvin Studin, «Canada's Four-Point Game. Part II», *Global Brief*, hiver 2018, p. 14 (notre traduction).

et à l'Ukraine relève d'une stratégie électorale parfaitement huilée. Dans une entrevue en 2010, Jason Kenney, son ministre de l'Immigration, ne fait pas mystère de sa tâche visant à travailler en profondeur les communautés ethniques afin de les attirer dans le giron conservateur[161].

Certains font valoir que cette approche est dangereuse, car elle « ethnicise indûment la politique au Canada » et mène à la « dévalorisation, d'une certaine façon, de notre citoyenneté commune pour plaire à des groupes particuliers avec étroitesse et peu de profondeur, simplement sur la base de l'identité[162] ». À l'époque où il est dans l'opposition, Trudeau réagit vivement à cette politique. À court terme, dit-il, Kenney « a réussi à acheter le silence de certains groupes ». Mais, rappelle Trudeau, alors simple député, le Parti libéral propose « une vision plus large, plus responsable de l'orientation que devrait prendre le pays, plutôt que de simplement chercher à gagner les votes d'un groupe à la fois[163] ». Sept ans plus tard, et compte tenu du comportement du gouvernement Trudeau par rapport au conflit israélo-palestinien et à la question ukrainienne, on constate que le Parti libéral emprunte exactement les mêmes tactiques que celles des conservateurs à l'époque.

D'ailleurs, Trudeau fait tout pour séduire les groupes ethniques les plus actifs au Canada. Une consultation du site Web du bureau du premier ministre en 2017 révèle la minutie avec laquelle il soigne ses relations avec certains pays et certaines communautés. Il publie un message lors des fêtes de l'indépendance de l'Arménie, de la Corée du Sud, de l'Inde, d'Israël, du

---

161. Joe Friesen, « The "Smiling Buddha" and his multicultural charms », *The Globe and Mail*, 29 janvier 2010.

162. *Ibid.* (notre traduction).

163. *Ibid.*

Pakistan, des Philippines et de la Pologne, mais pas du Mexique, d'Haïti, du Liban, de la Grèce ni de l'Italie, dont les diasporas sont pourtant nombreuses, mais sans doute moins actives politiquement. Il publie aussi des messages à l'occasion des fêtes religieuses, avec un accent très prononcé pour celles des sikhs et des Tamouls.

L'influence grandissante de certains groupes ethniques ou de groupes d'intérêt sur la politique étrangère canadienne frustre de nombreux diplomates canadiens. Ils la considèrent comme néfaste, car elle subordonne la politique étrangère à des enjeux de politique intérieure et entre en collision avec la définition et la défense des intérêts nationaux du Canada.

Christopher Westdal est un fin connaisseur aussi bien de l'Ukraine que de la Russie où, entre 1996 et 2006, il occupe les fonctions d'ambassadeur pendant six ans. Il se montre très critique du rôle des diasporas. « Avec tout le respect qui est dû à l'Ukraine, mais aussi à l'Inde et au Sri Lanka et à d'autres, nous nous mettons à la remorque des diasporas, au sein desquelles bon nombre sont beaucoup plus motivés par la colère et les conflits du passé que par les intérêts nationaux du Canada[164] », écrit-il dans un courriel qu'il m'adresse.

Bien entendu, les diasporas sont, avec les autres Canadiens, parties prenantes du jeu politique et peuvent s'exprimer sur les politiques gouvernementales concernant leurs pays d'origine, écrit-il. Là n'est pas la question. Pour lui, si les partis recherchent toujours les votes ethniques, « leurs chefs et leurs ministres des affaires étrangères, une fois au pouvoir, doivent s'élever au-

---

164. Échange de courriels du 16 octobre 2017.

dessus des perspectives ethniques et embrasser un contexte plus vaste afin de définir et de servir les intérêts nationaux ». Ce qu'ils ne font pas.

Si l'Ukraine est l'exemple le plus médiatisé de l'« ethnicisation » de la politique étrangère, il n'est pas le seul. David Mulroney estime qu'un des obstacles « à la défense plus efficace de nos intérêts nationaux, c'est la constante ingérence des considérations politiques intérieures dans nos calculs de politique étrangère[165] », écrit-il dans un livre consacré à ses années comme ambassadeur en Chine. Il déplore en particulier la propension des politiciens canadiens à jouer la carte ethnique envers les pays asiatiques en s'assurant toujours de la présence de Canadiens d'origine chinoise ou indienne dans les délégations[166].

Lors de voyages officiels, les délégations canadiennes ne devraient pas être « si implacablement adaptées à l'ethnicité du pays visité », écrit-il. Cet étalage n'impressionne pas des pays comme la Chine et l'Inde, selon Mulroney. Aussi fiers puissions-nous être de notre diversité, ajoute-t-il, « nous devons nous rappeler que les chefs de pays puissants et importants comme l'Inde et la Chine concentrent leur attention sur d'importantes questions internationales » et non sur les membres des délégations canadiennes.

Et prendre au sérieux une question comme le réengagement avec la Russie nécessite de la part des dirigeants canadiens une

---

165. David Mulroney, *Middle power, Middle kingdom: What Canadians need to know about China in the 21ˢᵗ century*, Allen Lane, 2015, p. 14 (notre traduction).
166. *Ibid.*, p. 15 (notre traduction).

appréciation juste et claire des intérêts nationaux du Canada. Jusqu'à ce jour, ni Trudeau ni Freeland ne se révèlent à la hauteur de cette exigence.

Chapitre dix

Faire les yeux doux à la Chine

Il arrive à Justin Trudeau de commettre des gaffes. En novembre 2013, quelques mois après son élection à la tête du Parti libéral du Canada, la langue lui fourche au sujet de la Chine. Au cours d'une rencontre publique, on lui demande quel est le gouvernement qu'il admire le plus. Il se lance. « Vous savez, il y a un niveau d'admiration que j'ai, en fait, pour la Chine parce que leur dictature de base leur permet de tourner, en fait, leur économie sur un dix cents et de dire "il faut devenir vert au plus vite, il faut investir dans le solaire"[167]. » La déclaration choque. Des politiciens s'en emparent pour tourner en ridicule le jeune chef libéral et se moquer de son manque de jugement. Certains analystes vont plus loin et tracent une filiation avec son père éternel provocateur toujours soupçonné à l'époque d'avoir un faible pour certaines dictatures. Lysiane Gagnon, la célèbre chroniqueuse de *La Presse*, n'en croit rien. Justin Trudeau veut sans doute provoquer, écrit-elle, « mais il n'est pas intellectuellement outillé pour ce genre de bravade[168] ».

---

167. Lysiane Gagnon, « Le Jeune et la Chine », *La Presse*, 14 novembre 2013.
168. *Ibid.*

La bourde de Justin illustre un trait commun à tous les Trudeau de la famille : la fascination envers la Chine. Le père a visité le pays deux fois à titre personnel avant de se lancer en politique. Il a tiré de son deuxième voyage avec son compagnon de route, Jacques Hébert, un livre, *Deux innocents en Chine rouge*, qui a fait sensation. Devenu premier ministre, il s'est rendu à Pékin en 1973, puis il a effectué un voyage privé au Tibet en 1979 après son échec aux élections générales quelques mois plus tôt. En 1990, avec ses fils Justin et Alexandre, il est retourné dans une Chine refermée sur elle-même au lendemain des massacres de Tian'anmen. Pour sa part, son deuxième fils, Alexandre, s'est passionné pour ce pays. Il y a séjourné plusieurs fois et, en 2007, lors de la réédition de *Deux innocents*, il a rédigé une longue introduction et un épilogue. Quelques années plus tard, en 2016, il a publié un témoignage sur la Chine en forme de clin d'œil à son père : *Un barbare en Chine nouvelle*. Le livre révèle un vrai talent d'observateur, d'analyste et d'essayiste.

Pierre Elliott Trudeau et Jacques Hébert ont développé une réflexion sur la Chine aussi originale que controversée. Ils sont partis à l'aventure, sans plan établi, sans direction. Ils ont visité villes, villages, monastères, entreprises, hôpitaux, écoles, restaurants. Ils ont rencontré dirigeants, savants, professeurs, ouvriers. Ils ont discuté, argumenté, écouté, rigolé. Le texte prend la forme d'un récit de voyage, le récit de deux innocents. Mais qu'est-ce que voulait dire, *innocents* ? « Innocents, parce que nous y allions sans grande sagesse ni stratégie[169] », a répondu Pierre à son fils Alexandre lorsqu'il lui a posé la question. Vraiment ? Alexandre n'est pas convaincu. « En vérité, leur innocence déclarée et l'absence d'une intention cachée n'étaient pas absolument sincères, écrit-il. Il s'agissait plutôt d'une attitude de pure forme,

---

169. Jacques Hébert et Pierre Elliott Trudeau, *op. cit.*, p. 10.

d'un plaidoyer d'ingénuité, si j'ose dire, à l'intention de l'opinion publique[170]. » En effet, Trudeau et Hébert visaient au moins deux objectifs avec la publication de cet ouvrage. Ils voulaient présenter au public canadien une image de la Chine rouge à rebours de celle qui était véhiculée en Occident par la propagande anticommuniste. D'ailleurs, Trudeau ne s'en est pas caché, ni dans l'édition originale ni dans l'édition en anglais publiée en 1968, au moment où il est devenu premier ministre. L'homme écrivait : « Il y a au moins un commentaire dans le livre que j'estime aussi véridique aujourd'hui qu'à l'époque de notre départ pour Pékin [...] il nous paraissait impératif que les citoyens de notre démocratie en apprennent davantage sur la Chine[171]. » Les deux auteurs ont aussi cherché à ébranler la société québécoise au sortir de la « grande noirceur » du duplessisme caractérisée par l'anticommunisme et la mainmise de l'Église sur la société[172]. Toutefois, le livre a laissé d'autres souvenirs. On l'a interprété comme un appui, même indirect, à un régime autoritaire. La visite de Trudeau à Cuba en 1976 a confirmé ce soupçon.

Avec *Un barbare en Chine nouvelle*, Alexandre marche dans les pas de son père. Son récit de voyage décrit une Chine transformée par les réformes et l'effet du capitalisme. Il y raconte aussi les premiers voyages des Trudeau, surtout celui avec son père et Justin en 1990. À cette occasion, les deux frères découvrent et s'amusent en escaladant montagnes et pics rocheux et en visitant temples et bazars[173].

---

170. *Ibid.*, p. 11.

171. Jacques Hébert et Pierre Trudeau, *Two Innocents in Red China*, Douglas & McIntyre, (1968) 2007, p. 36 (notre traduction).

172. Jacques Hébert et Pierre Elliott Trudeau, *Deux innocents...*, *op. cit.*, p. 13.

173. Alexandre Trudeau, *Un barbare en Chine nouvelle*, Éditions du Boréal, 2016, p. 16-17.

Étrangement, Justin Trudeau ne souffle mot de cette fascination familiale pour la Chine dans son autobiographie, *Terrain d'entente*. Il décrit dans les moindres détails et sur plusieurs dizaines de pages son travail de moniteur de ski en Colombie-Britannique ou ses quelques virées avec ses copains dans les bars de Montréal. Mais il ne consacre pas une ligne au livre de son père ni même à la longue visite en famille à Pékin alors qu'une photo de lui existe le montrant aux côtés de son frère sur la place Tian'anmen.

Le silence de Trudeau est d'autant plus surprenant que, lorsqu'il accède au pouvoir le 4 novembre 2015, la Chine occupe une place centrale dans le développement économique du Canada et dans les relations internationales.

· · ·

Lorsque Pierre Elliott Trudeau établit des relations avec la Chine rouge en 1970, il se pose en visionnaire. À l'époque, la Chine communiste subit le boycottage d'une communauté internationale sous l'influence des États-Unis. La majorité des États reconnaissent Taïwan, le territoire où s'installe le gouvernement nationaliste chinois à la suite de sa défaite aux mains des communistes en 1949. La petite île devient rapidement une base américaine.

Trudeau trouve la situation absurde. On ne peut, selon lui, isoler un État d'un milliard d'habitants même si son régime inspire de l'aversion. Les négociations en vue d'établir des relations avec Pékin commencent sous les auspices de l'ambassade de la Chine populaire en Suède. Elles butent sur la question de Taïwan. Pour la Chine populaire, Taïwan est un territoire chinois et Pékin est le seul gouvernement légitime. Trudeau le comprend, mais il refuse d'abandonner complètement Taïwan. Après de longues discussions avec les fonctionnaires, il trouve une formule diplomatique qui convainc Pékin : la reconnaissance d'un gouvernement ne veut pas nécessairement dire la reconnaissance de toutes ses revendications territoriales. Trudeau utilise une analogie pour passer son message et fait mouche : « Je crois que si un pays souhaite reconnaître le Canada, nous ne lui demanderons pas, par exemple, qu'il reconnaisse notre souveraineté dans l'Arctique[174]. »

Dans le communiqué conjoint annonçant l'établissement de relations diplomatiques entre les deux pays, le Canada « prend note » de la déclaration du gouvernement chinois sur le caractère inaliénable de l'unité de son territoire. La Chine gagne une reconnaissance diplomatique, et le Canada n'abandonne pas Taïwan, même s'il doit rompre les relations officielles avec l'île. Le geste de Trudeau entraîne la reconnaissance diplomatique de la Chine populaire par une douzaine de pays occidentaux. Il ouvre aussi la voie au remplacement de Taïwan par la Chine à l'Assemblée générale et au Conseil de sécurité de l'ONU à l'automne 1971.

Au départ, les nouvelles relations produisent peu de résultats concrets. Une première mission commerciale en 1971 débouche sur la signature d'un contrat d'exportation de blé canadien. Il faut attendre le début des années quatre-vingt pour constater un décollage des relations économiques. La répression du mouvement démocratique de Tian'anmen en 1989 réduit considérablement pour quelques années les relations entre les deux pays. Mais on ne peut résister longtemps à l'attraction de la Chine, d'autant plus que les partenaires occidentaux du Canada

---

174. Ivan Head et Pierre Trudeau, *op. cit.*, p. 224-225 (notre traduction).

renouent rapidement avec le régime à Pékin. Le Canada est le dernier à le faire[175].

En 1993, le nouveau gouvernement de Jean Chrétien fait de la Chine une priorité[176]. La première visite internationale de Chrétien est sa participation au sommet de l'APEC à Seattle où il rencontre de nombreux leaders asiatiques, dont le président chinois. Un an après, il met sur pied une grande mission de promotion économique du Canada en Asie, baptisée *Équipe Canada*. Sa première destination est la Chine. Tous les premiers ministres provinciaux et territoriaux et quelque cinq cents personnes, gens d'affaires, journalistes, universitaires et dirigeants d'ONG, accompagnent Chrétien[177]. Il répète l'expérience quelques années plus tard.

Ces missions, écrit l'ex-ambassadeur en Chine David Mulroney, « étaient novatrices et efficaces à leur époque [...][178] ». En effet, elles rapportent tant sur le plan économique que politique. Le commerce avec la Chine va rapidement progresser. Mais, surtout, les investissements canadiens en Chine vont augmenter. La relation entre les deux pays s'intensifie au point où en 2005, lors d'une visite à Ottawa, le président Hu Jintao et le premier ministre Paul Martin la qualifient de « partenariat stratégique[179] ». Ce nouveau statut permet aux fonctionnaires des deux pays d'aborder des thèmes aussi délicats que la sécurité, le renseignement, la lutte contre le terrorisme, et bien d'autres sujets qui dépassent l'aspect strictement économique. En parallèle, Martin travaille à la création du G20, un forum de discussions dont l'objectif est de per-

---

175. David Mulroney, *op. cit.*, p. 261 (notre traduction).
176. Jean Chrétien, *op. cit.*, p. 371.
177. *Ibid.*, p. 294.
178. David Mulroney, *op. cit.*, p. 54 (notre traduction).
179. *Ibid.*, p. 262.

mettre aux puissances non membres du G7, comme la Chine, de participer plus efficacement à la gouvernance mondiale. Le G20 regroupant les ministres des Finances voit le jour en 1999, et celui regroupant les chefs d'État, en 2008.

La défaite des libéraux en 2006 propulse au pouvoir un Parti conservateur frappé de schizophrénie lorsqu'il est question de la Chine. D'un côté, plusieurs députés et même certains ministres affichent ouvertement leur hostilité à l'approfondissement des relations avec la Chine, qu'ils accusent de se livrer à des persécutions religieuses, des violations des droits de la personne et de l'espionnage industriel.

Le chef conservateur, Stephen Harper, souffle quant à lui le chaud et le froid. Ainsi, en septembre 2005, au moment où une querelle éclate entre le Canada et les États-Unis au sujet du refus de Washington de respecter un jugement favorable au Canada à propos d'un litige commercial, Harper, alors chef de l'opposition, rappelle aux Américains que le Canada peut se retirer de l'ALENA et s'engager dans une plus grande diversification commerciale, notamment avec la Chine. Si les États-Unis nous y poussent, « nous devrons accorder beaucoup plus d'importance à l'exploitation de la demande croissante de la Chine, de l'Inde et d'autres pays envers nos secteurs des richesses naturelles[180] », dit-il lors d'une réunion de ses députés.

Un an plus tard, Harper est devenu premier ministre, et son enthousiasme envers la Chine s'estompe. En route pour assister à un sommet de l'APEC, au Vietnam, il indique ne pas avoir l'intention de changer la position canadienne concernant les droits de la personne en Chine pour favoriser le commerce avec

---

180. « Harper roars but lacks bite on Trade », *Toronto Star*, 9 septembre 2005 (notre traduction).

ce pays. Pour lui, les Canadiens « ne veulent pas nous voir sacrifier ce principe sur l'autel du tout-puissant dollar[181] ».

À partir de cet instant, les relations se dégradent et revêtent une couleur idéologique. Coup sur coup, le gouvernement canadien accorde la citoyenneté d'honneur au dalaï-lama et le reçoit officiellement. À toutes les occasions, le gouvernement dénonce les violations des droits de la personne en Chine et prend un malin plaisir à humilier l'ambassadeur chinois à Ottawa. Harper refuse même d'assister à la cérémonie d'ouverture des Jeux olympiques de Pékin en 2008 et ainsi de se joindre à la centaine de chefs d'État et de gouvernement qui font le déplacement, dont l'Américain George W. Bush. La relation est victime des rigidités idéologiques du gouvernement Harper, rigidités qui empoisonnent aussi les relations avec d'autres pays comme la Russie. Dans son ouvrage, David Mulroney raconte comment, à titre de conseiller diplomatique de Stephen Harper de 2006 à 2009, il a constamment dû se battre avec le conseiller politique du premier ministre afin de « repousser » ses velléités idéologiquement extrêmes et qui nuisaient à la diplomatie canadienne[182].

Le comportement du gouvernement conservateur n'impressionne pas la Chine. Elle l'ignore. Au début des années 2000, elle est en plein développement économique et en voie de devenir la deuxième puissance économique du monde. Elle cherche à s'imposer dans tous les domaines (économique, militaire, culturel, scientifique, etc.) et aux quatre coins de la planète. Le Canada est aussi l'objet de ses convoitises. « La première décennie du XXIe siècle a représenté en quelque sorte la redécouverte du Canada

---

181. « Won't 'sell out' on rights despite China snub : PM », CBC, 15 novembre 2006 (notre traduction).

182. David Mulroney, *op. cit.*, p. 19 (notre traduction).

par les Chinois en tant qu'occasion d'investissement, d'endroit où s'instruire, de destination touristique, et de lieu où investir dans l'immobilier afin de se protéger contre d'éventuels développements indésirables dans leur pays[183] », écrit Mulroney.

Paradoxalement, si les relations politiques entre les deux pays sont exécrables, les relations économiques poursuivent leur développement, ce qui explique sans doute le changement de cap effectué par Harper quatre ans après son arrivée au pouvoir. C'est que le temps presse si le Canada veut profiter au maximum de l'extraordinaire développement de la Chine. Lorsque Harper prend ce virage, le Canada tire de l'arrière. Le partenariat stratégique cher à Paul Martin est en veilleuse, le dialogue annuel sur les droits de la personne, rompu. Les premiers ministres canadien et chinois s'évitent.

Pendant ce temps, les alliés du Canada se précipitent en Chine. Ainsi, l'Australie comprend rapidement que les plaques tectoniques de la géopolitique et de l'économie bougent et qu'elle doit s'adapter. En 2007, Kevin Rudd devient premier ministre. Il parle couramment le mandarin et annonce un repositionnement de la politique étrangère australienne vers l'Asie tout en maintenant une alliance stratégique avec les États-Unis. Les investissements chinois affluent. La bonne performance de l'économie chinoise, même après la crise financière de 2008, incite encore plus les Occidentaux à se tourner vers Pékin.

Harper prend acte de ces changements. Il brise la glace. En 2009, il refuse de recevoir le dalaï-lama et entame sa première visite officielle en Chine. Il y retourne en 2012 et en 2014. À chaque visite, les relations se resserrent et élargissent le champ

---

183. *Ibid.*, p. 23 (notre traduction).

des coopérations : accord sur le nucléaire ; entente sur la promotion et la protection des investissements ; approfondissement des relations scientifiques et culturelles. Il reste pourtant
beaucoup à faire, notamment la conclusion d'un accord de
libre-échange que les Chinois réclament depuis longtemps.
L'Australie, elle, ne traîne pas. En 2013, elle annonce un partenariat stratégique avec la Chine « qui comprend une rencontre
annuelle des leaders accompagnée de consultations avec le
Cabinet sur des questions politiques et économiques[184] ». Un an
plus tard, après six années de négociations, les deux pays signent
un accord de libre-échange.

· · ·

On l'a dit, la Chine fascine la famille Trudeau, Justin y compris.
S'il se montre discret sur ce sujet au moment où il est simple
député, il change de registre pendant la campagne à la chefferie
du Parti libéral en 2012-2013. L'achat de la pétrolière canadienne
Nexen par une entreprise d'État chinoise lui offre l'occasion d'exprimer ses vues sur les relations commerciales entre les deux
pays. La transaction entre Nexen et la China National Offshore
Oil Corporation (CNOOC) soulève un débat concernant la prise
de contrôle d'entreprises canadiennes dans des secteurs stratégiques par des intérêts étrangers. Certains, jusqu'au sein du gouvernement conservateur, contestent en particulier la mainmise
des entreprises chinoises soupçonnées de travailler au service
d'un projet politique. Ce problème n'est pas nouveau. Trudeau
père instaure des contrôles stricts des investissements directs
étrangers afin de limiter l'emprise des sociétés américaines sur

---

184. *Ibid.*, p. 271 (notre traduction).

l'économie canadienne. Harper modifie la Loi sur Investissement Canada afin d'y introduire une clause permettant d'invoquer la « sécurité nationale » pour bloquer une transaction.

Trudeau appuie la transaction. Dans l'*Edmonton Journal*, il publie un texte où il justifie sa position sous l'angle des retombées économiques que cette transaction apporte à la classe moyenne canadienne[185]. La question de la sécurité nationale lui semble secondaire. Dans cette affaire, le Canada fait face à une double réalité. Son marché intérieur est petit et il ne peut plus compter sur le marché américain pour stimuler sa croissance. Il doit se tourner du côté de l'Asie, d'autant plus que la Chine, en particulier, a un urgent besoin de matières premières et d'énergie pour soutenir sa croissance. De cette conjoncture, il faut profiter. « D'ici 2030, les deux tiers de la classe moyenne de la planète seront en Asie, écrit-il. Notre façon de définir et de gérer notre relation avec les économies asiatiques pour que le Canada puisse alimenter cette croissance aura autant d'importance pour la classe moyenne canadienne de ce siècle qu'en a eu notre relation avec les États-Unis au siècle précédent. »

Trudeau est conscient des enjeux géopolitiques et sécuritaires de la montée de la puissance chinoise au Canada et dans le monde, mais il ne s'en inquiète pas. « La Chine a un plan de match », écrit Trudeau, mais « il n'y a là rien de sinistre en soi. » Et dans le cas de la transaction entre Nexen et CNOOC, « le fait que trois pour cent des baux sur les sables bitumineux appartiennent aux Chinois ne représente certainement pas une menace à la sécurité nationale ». Sans le dire, il reprend l'idée de Harper qui, dès son élection en 2006, jure de transformer le Canada en « superpuissance énergétique » afin de profiter du

---

185. Justin Trudeau, *op. cit.*, 19 novembre 2012 (notre traduction).

formidable développement économique des pays émergents comme la Chine, l'Indonésie, l'Inde. Quelques jours après la publication de la prise de position de Trudeau, le gouvernement conservateur approuve la transaction.

. . .

L'expert canadien des questions Asie-Pacifique Paul Evans utilise une belle formule afin de décrire la centralité de la Chine pour le Canada. « Pour les Canadiens, la Chine n'est plus une lointaine préoccupation, elle est déjà à nos portes[186] », écrit-il. En même temps, la Chine inspire encore la crainte chez de nombreux Canadiens à cause de son système politique fermé et autoritaire, de son comportement par rapport aux droits de la personne et de son ascension rapide comme puissance globale. Dans ce contexte, Evans se demande quelle attitude le Canada doit adopter s'il souhaite poursuivre une relation aussi complexe. « La Chine devrait-elle être traitée en amie, en partenaire stratégique, en alliée, en compétitrice, en adversaire ou en ennemie[187] ? », écrit-il.

Trudeau n'envisage pas les choses de cette façon. Son texte dans l'*Edmonton Journal* est sans *a priori* ni arrière-pensées géopolitiques et idéologiques. Le texte révèle plutôt l'angle par lequel il aborde la relation Canada-Chine : sa dimension économique. Trudeau tient cette ligne. Ainsi, les débats de la séance du 3 février 2015 du Conseil consultatif sur les affaires internationales portent en partie sur les relations commerciales avec la Chine et l'Inde. Trudeau, alors dans l'opposition, ne s'exprime

---

186. Paul Evans, « Dancing with the Dragon », *Literary Review of Canada*, avril 2013, p. 3 (notre traduction).
187. *Ibid.*

pas sur la question des droits de la personne ou sur la montée en puissance de la Chine et son comportement parfois brutal envers ses voisins immédiats à propos de certaines revendications territoriales en mer de Chine méridionale. Trudeau et les membres du Conseil consultatif avancent un certain nombre de recommandations afin de développer les relations économiques avec la Chine et de promouvoir une meilleure compréhension de ce pays et de l'Asie. Ils suggèrent qu'un futur gouvernement libéral relance le partenariat stratégique (accompagné de rencontres fréquentes entre les premiers ministres canadien et chinois), réfléchisse aux conséquences pour le Canada de la montée de la Chine, favorise les investissements de la diaspora chinoise au Canada et fasse revivre la mission *Équipe Canada*, mais en invitant cette fois des investisseurs et donateurs à venir au pays.

Aussi les membres du conseil notent-ils la profondeur de la méconnaissance et de l'ambivalence de nombreux Canadiens à l'égard d'un avenir plus orienté vers le Pacifique et suggèrent de susciter une littératie de l'Asie parmi les étudiants, les entreprises, les employés des gouvernements fédéral et provinciaux et des administrations municipales du Canada.

Si la plateforme libérale pour l'élection de 2015 reste silencieuse sur les questions relatives à la Chine et à l'Asie, le nouveau gouvernement fait de la redéfinition des relations sino-canadiennes une de ses priorités en arrivant au pouvoir. À l'occasion du sommet des pays du G20 en Turquie en novembre 2015, le président chinois Xi Jinping couvre le Canada d'éloges et rappelle à Justin Trudeau le caractère extraordinaire de la vision de son père lorsqu'il a décidé d'établir quarante-cinq ans plus tôt des relations avec la Chine populaire[188]. Pendant tout l'hiver et le printemps 2016, des conseillers du bureau du premier ministre et de plusieurs ministères, principalement des Affaires étrangères et du Commerce international, mais aussi de la Santé, des Finances et du Patrimoine, travaillent à l'élaboration d'une nouvelle stratégie afin de renforcer les relations entre les deux pays. Certaines des suggestions émises par les membres du Groupe consultatif un an plus tôt sont inscrites au cœur de cette stratégie. C'est la première fois depuis 1987 que le Canada procède à une telle reformulation de ses relations avec la Chine et à une si grande échelle : tous les ministères sont consultés[189]. Le Conseil des ministres adopte la nouvelle stratégie en mai 2016.

Quatre éléments structurent cette stratégie : rétablir le caractère central de la relation ; lancer un dialogue annuel entre premiers ministres ; amorcer la discussion sur la signature d'un accord de libre-échange ; promouvoir les liens interpersonnels, notamment par l'entremise de l'éducation et du tourisme. Pour asseoir cette stratégie, on planifie l'organisation de structures de dialogue permanentes afin d'institutionnaliser la relation.

Ainsi est créé le Dialogue des ministres des Affaires étrangères pour discuter de questions bilatérales actuelles et futures relatives à la politique étrangère, comme les droits de la personne, la sécurité régionale et internationale, l'environnement et les changements climatiques, la primauté du droit et la coopération juridique. Le Dialogue de haut niveau sur la sécurité nationale et la primauté du droit est aussi mis sur pied. Les deux

---

188. Tiré du discours du ministre Dion à l'occasion d'un événement soulignant les quarante-cinq années de relations diplomatiques Canada-Chine, 27 janvier 2016, p. 2.

189. Huhua Cao et Vivienne Poy, *The China Challenge: Sino-Canadian Relations in the 21st Century*, University of Ottawa Press, 2011, p. 51-56.

parties se fixent des objectifs à court terme en matière de co-opération sur deux grandes questions : amorcer les discussions concernant un traité d'extradition et un traité sur le transfèrement des délinquants, ainsi que sur d'autres questions connexes ; et poursuivre les discussions sur la coopération sur les plans de la cybersécurité et de la lutte contre le crime cybernétique.

Une structure est aussi établie pour faciliter la coopération en matière de justice et de répression des crimes sous la forme d'un dialogue et d'échange d'informations entre la Gendarmerie royale du Canada et les services policiers chinois. Deux autres forums sont organisés, concernant les finances et l'économie d'une part, et la santé d'autre part. Enfin, le Canada proclame 2018 année du tourisme Canada-Chine.

Cette stratégie se déploie lors de la visite de Trudeau en Chine à la fin d'août 2016 et celle au Canada de son homologue chinois un mois plus tard. À ces occasions, les deux signent des dizaines d'accords commerciaux, relancent le partenariat stratégique et ouvrent des discussions préliminaires sur un accord de libre-échange. Le plus remarquable avec la stratégie adoptée par Trudeau afin de relancer les relations entre les deux pays est la dextérité avec laquelle lui et son gouvernement abordent les questions de droits de la personne par l'angle de la règle de droit, autant parce que c'est un angle qui promet d'être constructif (c'est-à-dire qu'on peut faire quelque chose de concret) que parce que le gouvernement chinois est prêt à en discuter, ce qui n'est pas le cas des droits civiques.

La question des droits de la personne, si centrale dans les premières années du gouvernement Harper, fait quand même l'objet d'une mention à chaque rencontre ou dans chaque discours, mais toujours de façon incidente. Ainsi, dans un discours devant des gens d'affaires à Shanghai, le premier ministre enterre le sujet en quelques paragraphes au milieu d'un long texte où il prend cependant la peine de saluer les progrès réalisés par la Chine « en matière de gouvernance et de primauté du droit [...][190] ».

L'autre point sur lequel le premier ministre et son gouvernement évitent la controverse est la tension grandissante entre la Chine et plusieurs États voisins au sujet de revendications territoriales et économiques en mer de Chine méridionale. Depuis quelques années, la Chine cherche à étendre sa souveraineté sur cette zone maritime où transite 30 % du commerce mondial en prenant possession de certains îlots contestés. Les enjeux sont militaires – contrôler la zone de passage – et économiques – exploitation des richesses pétrolières et halieutiques. La plupart des pays de la région contestent les revendications chinoises et reçoivent l'appui des États-Unis. Les tensions occasionnent parfois des accrochages entre navires militaires et marchands. Ici aussi, le Canada se fait discret. S'il condamne les mesures unilatérales, il se garde bien de nommer expressément la Chine.

Pour autant, la position du gouvernement est claire. Ottawa invite toutes les parties à s'engager dans un règlement en suivant les règles du droit international et en évitant d'adopter toute mesure militaire susceptibles de nuire à la sécurité et la stabilité régionales.

Alors, pour reprendre la formule de Paul Evans, la Chine est-elle une amie, une partenaire stratégique, une alliée, une compétitrice, une adversaire ou une ennemie ? Ce pays est trop complexe pour être réduit à une formule « *one size fits all* ». La Chine est tout à la fois une amie, comme les États-Unis ou

---

190. Discours du premier ministre devant le Conseil commercial Canada-Chine durant sa visite officielle en Chine, 1er septembre 2016.

la France ; une partenaire stratégique, mais seulement dans certains domaines, soit économique, diplomatique et judiciaire ; une alliée dans la lutte contre les changements climatiques ; une compétitrice dans certains domaines commerciaux ; et une adversaire dans le grand jeu qui se dessine pour l'influence en mer de Chine méridionale. Quant à savoir si elle est une ennemie, la question reste ouverte.

Trudeau se rend une deuxième fois en Chine au début de décembre 2017. Le voyage ne produit pas les fruits attendus, les deux pays s'entendant pour reporter les négociations sur un traité de libre-échange. Cet épisode ne change rien à la relation. Trudeau choisit son camp. Si on se fie à ses déclarations publiques, la Chine est une partenaire stratégique. Ce choix est dans la logique des choses. Les profonds bouleversements géopolitiques qui redistribuent les cartes de l'ordre mondial le mènent dans cette direction. Les États-Unis ne dominent plus la planète, et de nouvelles puissances, essentiellement en Asie, émergent et occupent une place considérable sur l'échiquier économique et géopolitique. La Chine, en particulier, n'est plus seulement une économie manufacturière, mais s'achemine vers le statut de grande puissance mondiale de l'innovation scientifique et technologique.

Le Canada cherche, depuis Pierre Elliott Trudeau, à diversifier ses relations commerciales afin de desserrer l'étreinte américaine sur son économie. Le monde nouveau lui en donne l'occasion, et si le rapprochement avec la Chine produit les résultats escomptés dans la stratégie adoptée en mai 2016, ce sera le plus grand succès de politique étrangère de Justin Trudeau.

Chapitre onze

Donald Trump perturbe l'ordre des choses

La relation entre le Canada et les États-Unis est l'une des plus intenses qui existe sur la planète entre deux nations. Sur tous les plans – économique, politique, social, militaire, culturel –, elle tisse chaque jour des liens de dépendance profonds et de plus en plus difficiles à dénouer. Pour le meilleur et pour le pire, les deux pays sont joints comme des frères siamois, et bien malin celui qui tranchera le nœud sans risque de provoquer de graves dégâts.

La force de cette relation est telle que c'est habituellement aux États-Unis qu'un nouveau premier ministre canadien se rend pour sa première visite officielle à l'étranger. Justin Trudeau ne déroge pas à la tradition et se dirige avec sa femme vers Washington en mars 2016. Cette visite revêt toutefois un caractère exceptionnel. Il s'agit d'une visite protocolaire, la première pour un premier ministre en dix-neuf ans, couronnée d'un dîner d'État en présence de tout le gratin politique, économique et culturel américain.

Le président Barack Obama fait les choses en grand et marque ainsi la proximité politique et idéologique avec Trudeau.

«Votre élection et vos premiers mois au pouvoir ont apporté une nouvelle énergie et un nouveau dynamisme, non seulement au Canada, mais aussi dans la relation entre nos deux pays», lance Obama, visiblement satisfait de ne pas avoir à accueillir Stephen Harper avec qui les relations s'étaient passablement détériorées au cours des derniers mois du mandat du premier ministre conservateur.

Au cours de la soirée, les deux couples politiques les plus *glamour* du monde se prêtent allègrement au jeu des *selfies* et des photos. Mais au moment où Obama et Trudeau soulignent l'alliance canado-américaine, un peu partout aux États-Unis, démocrates et républicains sont déjà en piste pour se choisir un candidat à l'élection présidentielle qui aura lieu en novembre.

La démocrate Hillary Clinton devance ses adversaires dans la course à l'investiture de son parti. Chez les républicains, l'affrontement n'a rien d'ordinaire. Le milliardaire Donald Trump mène une campagne atypique. Il se brouille avec l'*establishment* du parti républicain, n'hésite pas à déroger à toutes les règles de la bienséance en insultant copieusement ses opposants, républicains comme démocrates, et remet en cause tous les dogmes du libéralisme économique et social adoptés par les élites depuis l'après-guerre. La stratégie fonctionne. Trump remporte plusieurs primaires à la grande surprise des observateurs les plus avertis et force un à un ses rivaux à se retirer. À Ottawa, la classe politique et médiatique jette un regard amusé sur ce jeu de massacre, véritable *Game of Thrones* en version réelle. La décence va prévaloir, dit-on dans les couloirs des officines gouvernementales. Le parti républicain va se ressaisir et choisir un candidat présentable.

Eh bien, non. Donald Trump remporte l'investiture. Ça ne le calme pas. Au contraire, sa victoire décuple son énergie et celle de sa base, des électeurs en colère contre « ceux » de Washington qu'ils accusent d'abandonner une partie des Américains – les hommes blancs, les habitants des zones désindustrialisées et des petits États agricoles, les rejetés de la nouvelle économie – au profit d'une autre partie – les minorités raciales et sexuelles, les élites libérales, les entrepreneurs de la Silicon Valley, les grands États.

Choisi comme candidat à la présidentielle, Trump radicalise son discours et lui donne une tournure populiste et xénophobe. Son slogan l'« Amérique d'abord » est en soi un programme : celui du repli, du protectionnisme, du rejet des valeurs libérales. Il promet de bâtir un mur entre le Mexique et les États-Unis afin de stopper l'entrée de ceux qu'il qualifie de « trafiquants de drogue et de violeurs », il dresse la liste des pays musulmans dont il veut interdire l'entrée aux États-Unis de leurs ressortissants, il remet en cause l'appartenance des États-Unis à l'OTAN et aux alliances militaires, il conteste tout le régime des traités de libre-échange dont celui avec le Canada et le Mexique, il accuse la Chine de « violer » les Américains avec ses pratiques commerciales « déloyales », il estime que la plupart des pays africains devraient être colonisés à nouveau pour une autre centaine d'années parce qu'ils ne savent rien sur le leadership. Quant à la candidate démocrate, Hillary Clinton, il la traite constamment de « crapule », même pendant les débats télévisés.

À Ottawa, si quelques-uns d'entre nous au bureau de Dion commencent à s'inquiéter de la tournure que prend la campagne électorale, l'heure n'est pas à la panique. Les sondages donnent une large avance à Clinton, ce qui nous rassure quant au bon sens des Américains. Le 8 novembre au soir, il faut pourtant déchanter : en raison des particularités du système électoral américain, c'est le nombre de grands électeurs obtenus par État qui détermine l'élection du président, et non le pourcentage de voix. Trump rafle la majorité des grands électeurs même s'il n'obtient que 46 % des voix contre 48 % pour Clinton. Un déplacement de soixante-dix mille voix dans trois États ayant voté pour Obama précédemment fait toute la différence.

• • •

Trump président, une question se pose : a-t-il encore la volonté de modifier en profondeur l'ordre libéral international et d'y substituer un régime transactionnel fondé sur des relations bilatérales où les États-Unis seraient de par leur puissance toujours les gagnants ? La question prend toute son importance pour le Canada, dont la politique étrangère et la prospérité économique sont basées sur cet ordre depuis la fin de la Seconde Guerre mondiale.

L'ordre libéral se caractérise par le multilatéralisme, la centralité des organisations internationales comme régulatrices des rapports entre pays, le respect des normes établies par les traités, la promotion de la démocratie et de la liberté, la sécurité collective, le libre commerce entre les nations. Ces éléments constituent la structure même de l'édifice. Non seulement cet édifice tient-il depuis plus de soixante-dix ans, mais en 1989, avec la chute du mur de Berlin, il absorbe ses « ennemis », principalement ceux du bloc de l'Est. Même la Chine communiste adopte certaines caractéristiques de l'ordre libéral en participant de plus en plus au système de sécurité collective à travers le Conseil de sécurité de l'ONU et en acceptant les règles commerciales internationales par son adhésion à l'Organisation mondiale du commerce.

Je l'ai dit dans les chapitres précédents, le Canada est un des bénéficiaires de cet ordre libéral. Il doit sa prospérité et sa sécurité non seulement à sa proximité avec les États-Unis, mais aussi à sa participation active au système international établi depuis 1945. Et, selon l'ancien premier ministre Joe Clark, c'est cet équilibre entre les deux qui permet souvent au Canada d'exercer sur la scène internationale une influence qui excède son poids démographique et économique réel. Entretenir d'excellentes relations avec les États-Unis et jouer un rôle indépendant dans le monde sont les faces d'une même médaille, écrit-il dans son dernier livre.

« Notre accès à Washington a donné encore plus de poids à la réputation que nous nous sommes nous-mêmes taillée par nos actions dans d'autres pays. Lorsque les relations du Canada avec Washington sont solides, d'autres pays se tournent vers nous, écoutent ce que nous avons à dire, non seulement en fonction de nos propres mérites, mais parce que nous pourrions exercer notre influence sur une superpuissance. Du même coup, notre bonne réputation dans les pays en développement et dans la communauté multilatérale [...] est un atout dont les États-Unis eux-mêmes n'ont pas toujours été en mesure de se prévaloir[191]. »

La relation privilégiée avec les États-Unis a ses avantages pour le Canada et sa place dans le monde. Plusieurs analystes pensent que la signature en 1965 du pacte de l'automobile, largement favorable au Canada, découle de la décision prise l'année précédente par Lester B. Pearson d'envoyer des Casques bleus à Chypre afin d'éviter une guerre entre deux alliés américains, la Grèce et la Turquie. Vingt-cinq ans plus tard, lors de la guerre du Golfe,

---

191. Joe Clark, *How We Lead. Canada in a Century of Change*, Random House Canada, 2013, p. 135 (notre traduction).

Brian Mulroney, ardent promoteur du multilatéralisme, convainc George Bush père de passer par l'ONU afin de mettre sur pied une coalition multinationale pour chasser l'Irak du Koweït.

L'économie est au cœur de cette relation. L'Accord de libre-échange nord-américain (ALENA) signé avec les États-Unis, puis le Mexique à la fin des années quatre-vingt fait de l'Amérique du Nord le plus puissant bloc économique du monde. Ce traité permet au Canada de multiplier les échanges commerciaux avec ses partenaires du sud et sert de modèle pour toute la stratégie économique et commerciale canadienne à l'étranger. Ainsi, sous le gouvernement Harper, le Canada signe plusieurs accords de libre-échange bilatéraux – Colombie, Israël, Corée du Sud – et multilatéraux avec l'Union européenne et avec les nations de la région de l'Asie-Pacifique (Partenariat transpacifique). Le gouvernement Trudeau veut renforcer cette architecture commerciale en entreprenant des négociations avec la Chine et l'Inde, dont les experts estiment qu'elles deviendront les premières économies du monde en 2030.

La relation canado-américaine a aussi son revers. Aujourd'hui, environ 75 % des échanges commerciaux du Canada s'effectuent avec les États-Unis. Cette structure commerciale se maintient depuis l'époque où, en 1970, Pierre Elliott Trudeau préconisait une diversification à l'échelle mondiale afin de desserrer l'étreinte américaine. Car il ne faut pas se faire d'illusions, la prospérité dont le Canada bénéficie grâce à ces liens privilégiés avec les États-Unis crée aussi une relation de dépendance qui se répercute sur les choix de politique étrangère des gouvernements à Ottawa.

Au sortir de la Seconde Guerre mondiale, le Canada devient la troisième puissance du monde libre après les États-Unis et le

Royaume-Uni. Ce statut lui permet pendant un certain temps de jouer dans la cour des grands et d'être un acteur clé dans l'édification de l'ordre libéral. On recherche et on respecte sa voix. Ce temps fait long feu. Le retour en scène rapide de la France, de l'Allemagne, du Japon ainsi que la création de l'Union européenne relèguent lentement le Canada au statut de puissance moyenne, plutôt isolé sur le continent nord-américain. Et c'est de peine et de misère qu'il intègre le G7 à la demande expresse de Washington. Le Canada dispose bien d'une marge de manœuvre dans ses relations avec son voisin du sud (il refuse de participer à la guerre du Vietnam, puis à celle contre l'Irak en 2003), mais de plus en plus « il doit, dans tous ses calculs, tenir compte des intérêts américains[192] », écrivent des experts. « Ignorer cette dimension entraînerait des conséquences très lourdes, sans doute plus lourdes pour le Canada que pour la plupart des autres États » qui entretiennent des liens avec les États-Unis.

L'élection de Donald Trump donne toute sa pertinence à cette analyse. Le caractère erratique, imprévisible et nationaliste du nouveau président force le gouvernement canadien, quelle que soit sa couleur politique, à une prudence de tous les instants. L'Amérique s'engage dans une nouvelle direction et Ottawa doit en tenir compte.

· · ·

Avant même que Donald Trump secoue l'ordre politique, économique et militaire du monde, Trudeau anticipe les profonds changements qui transforment le système international en général et la société américaine en particulier et forcent le Canada à réexaminer ses anciennes pratiques. Ainsi, les réflexes

---

192. Nossal *et al.*, *op. cit.*, p. 79.

protectionnistes sont déjà bien inscrits dans le discours politique américain depuis plusieurs années. La candidate démocrate Hillary Clinton s'oppose au Partenariat transpacifique pourtant négocié par Obama. Son rival, le sénateur Bernie Sanders, mène campagne sur un programme de gauche dont certains éléments antimondialisation et nationalistes rappellent ceux de… Trump. Le pouvoir économique et géopolitique se déplace du monde occidental vers la région Asie-Pacifique, d'où la décision du président Obama de réorganiser le dispositif militaire américain déployé à l'étranger et de le recentrer vers cette région.

Dans un article consacré à l'acquisition de la compagnie canadienne Nexen par la Chine, Trudeau appuie la transaction en soulignant la centralité de l'Asie pour l'économie canadienne. « Pendant une grande partie de notre histoire, notre relation commerciale avec les États-Unis était la seule qui fut vraiment importante, écrit-il. C'était au XXᵉ siècle. Le XXIᵉ siècle est différent. […] nous ne pouvons plus compter sur les États-Unis » pour alimenter notre croissance[193]. » Trudeau voit grand. Les pays d'Asie, écrit-il, investissent présentement des centaines de milliards dans la construction d'infrastructures. Le Canada doit profiter de ces marchés. « Et si notre but consistait à devenir les concepteurs de l'Asie et les bâtisseurs de villes où il fait bon vivre ? Et si nous unissions nos institutions financières de classe mondiale et nos caisses de retraite avec nos talents de classe mondiale en ingénierie et nos industries de la construction pour assurer au Canada un rôle de leadership dans la croissance de l'Asie ? »

---

193. Justin Trudeau, *op. cit.*, 19 novembre 2012.

L'Asie est sans doute l'objet de tous les fantasmes pour les Occidentaux, mais, pour les Canadiens, la réalité demeure la relation avec les États-Unis. Trudeau le sait parfaitement. À titre de chef du Parti libéral, puis de premier ministre, il prononce deux discours sur les relations canado-américaines aux accents lyriques. « Nous sommes plus proches que des amis, affirme-t-il au président Obama lors du dîner d'État à la Maison-Blanche. Nous sommes davantage comme des frères[194]. » S'il reconnaît que le Canada doit diversifier et mondialiser son approche du commerce et des investissements étrangers, il ajoute du même coup que les Canadiens doivent voir « dans l'avenir de l'Amérique du Nord [leur] propre avenir[195] ». La décision de Donald Trump d'ordonner une renégociation complète de l'ALENA ou, à défaut, son abrogation rappelle brutalement à la classe politique et économique canadienne la dure réalité géographique du Canada : son voisinage avec la plus grande puissance du monde et son isolement du reste de la planète.

. . .

À Ottawa, Trudeau et ses ministres les plus importants – Affaires étrangères, Commerce international, Sécurité publique, Défense nationale, Finances – confèrent sur la suite à donner à cette surprenante élection. Les directeurs des politiques de chaque ministre se rencontrent et s'exercent à prévoir les réactions de la nouvelle administration américaine. Ils se livrent à des simulations, imaginant une situation et spéculant sur les réponses possibles du président à partir de ses déclarations à titre de candidat.

---

194. Discours du premier ministre lors du dîner d'État, 10 mars 2016.

195. Justin Trudeau, *Vrai changement dans les relations canado-américaines*, discours devant Canada 2020, 23 juin 2015.

Un constat s'impose rapidement : l'imprévisibilité du nouveau président rend impossible toute prédiction fiable. Malgré tout, le gouvernement Trudeau a besoin d'une stratégie pour appréhender sa relation avec la nouvelle administration qui va s'installer à la Maison-Blanche le 20 janvier 2017. Vers la fin de décembre, les premiers éléments de cette stratégie commencent à prendre forme. L'ancien premier ministre Brian Mulroney, père de l'ALENA, occupe toutes les tribunes afin de dire tout le bien qu'il pense de Trump, qu'il connaît depuis vingt ans. Du même coup, il se positionne comme intermédiaire entre Ottawa et Washington. Et ça fonctionne. Trudeau sonde discrètement Mulroney afin de lui demander d'user de ses contacts pour tempérer les ardeurs du nouveau président. Parallèlement, le premier ministre dépêche à Washington son conseiller personnel, Gerald Butts, et sa chef de cabinet, Katie Telford. Ils ont pour mission de rencontrer un maximum de conseillers de Trump pour plaider la cause du Canada.

Le bureau du premier ministre, le Conseil privé, l'ambassade du Canada à Washington ainsi que les ministères des Affaires étrangères et du Commerce international préparent une offensive en règle auprès de tous les milieux politiques, économiques et culturels américains pour leur rappeler l'importance des relations entre les deux pays. Le ministère du Commerce international confectionne un document de douze pages qui servira de pense-bête à tous les diplomates, députés, sénateurs, ministres et leurs conseillers dans leurs interactions avec leurs homologues américains. On y trouve des statistiques sur le commerce et les emplois et des informations sur la sécurité de la frontière et les questions énergétiques. Si la stratégie vise à modifier le comportement du président en influençant son entourage et les parlementaires fédéraux, elle ne s'arrête pas là. Ottawa cible également les trente-cinq États américains dont une bonne partie de l'économie dépend du commerce avec le Canada. Les gouverneurs, les législateurs, les chambres de commerce locales, les maires des grandes villes et les médias locaux seront aussi sollicités par leurs homologues canadiens. Le gouvernement Trudeau ne laisse rien au hasard. Il lui faut travailler en profondeur les décideurs américains à tous les échelons afin d'éviter une catastrophe économique et politique entre les deux pays.

Une nouvelle stratégie implique un changement au sein de l'équipe. C'est du moins la conclusion à laquelle arrive Trudeau. C'est donc dans ce contexte qu'intervient sa décision, le 6 janvier 2017, de congédier Stéphane Dion. Il le remplace par Chrystia Freeland, alors ministre du Commerce international. Le premier ministre se convainc que Dion n'a pas le profil pour interagir avec la nouvelle administration. Un autre aspect de la stratégie gouvernementale envers les États-Unis consiste à éviter de froisser le président et ses conseillers. Il craint donc le caractère parfois cassant et le côté professoral de Dion. Mais il y a une raison plus sournoise au renvoi de Dion et que j'ai documentée au chapitre cinq : les relations sont exécrables entre les deux, et Trudeau trouve dans l'élection de Trump l'excuse parfaite pour se débarrasser de son ministre.

Freeland donne toutes les apparences d'être la bonne personne, placée au bon endroit et au bon moment. Au Commerce international, elle révèle ses qualités de négociatrice en finalisant l'Accord de libre-échange avec l'Union européenne. Polyglotte, elle parle anglais, français, russe et ukrainien. Journaliste de profession, elle a travaillé à Kiev, Moscou, Londres et New York, essentiellement pour de grands médias comme le *Financial Times*, *The Economist*, *The Globe and Mail* et l'agence Reuters.

Candidate libérale, elle a remporté l'élection lors d'une partielle dans une circonscription de Toronto en 2013. Sa victoire représente une belle prise pour Trudeau qui vient tout juste d'être élu chef du parti. Elle renforce l'équipe économique du parti à la Chambre des communes.

Freeland, dit-on, possède un carnet d'adresses impressionnant aux États-Unis. Mais s'agit-il des bonnes adresses? Après tout, elle incarne l'aile gauche du Parti libéral, et ses articles ont paru dans des médias de tendance libérale ouvertement hostiles à Trump. De plus, Freeland est l'auteure d'un livre dévastateur sur les super-riches, ceux-là mêmes qui composent l'entourage immédiat du nouveau président. Dans *Plutocrats: The Rise of the New Global Super-Rich and the Fall of Everyone Else*, elle dresse un portrait au vitriol d'une élite coupée du reste de la société et dont l'enrichissement croissant menace tout l'édifice social.

Trudeau présente Freeland comme la personne de la situation. Non seulement est-elle la nouvelle ministre des Affaires étrangères, mais elle participera directement aux négociations sur l'ALENA. Cette dernière responsabilité l'engage personnellement dans la négociation au jour le jour, à la différence de ses homologues américain et mexicain. Du côté américain, ni le secrétaire d'État Rex Tillerson ni celui au Commerce, Wilbur Ross, ne participent aux pourparlers. Un envoyé spécial assume cette tâche. Les Mexicains comptent sur leur ministre de l'Économie. Exposer ainsi Freeland est une arme à double tranchant. Si le Canada sort gagnant de la négociation, elle en retirera les bénéfices. En cas d'échec, elle en portera le blâme.

• • •

La tendance à l'intégration nord-américaine ne se manifeste pas seulement sur le plan économique et commercial. La sécurité – celle des frontières entre les deux pays, celle du continent face aux menaces extérieures et celle sur la scène internationale – représente aussi un élément clé de la relation canado-américaine. On peut même affirmer sans se tromper que les fondements de la relation s'érigent sur les questions de sécurité. Jusque dans les années trente, le Canada commerce avec le Royaume-Uni et l'Empire britannique sous un régime de tarifs préférentiels. À l'approche de la Seconde Guerre mondiale, les Américains prennent conscience que le Canada, vaste territoire faiblement peuplé et défendu, présente une « menace » à la sécurité des États-Unis s'il devait tomber entre les mains ennemies. En 1938, le président Franklin Delano Roosevelt ne passe pas par quatre chemins. Si une puissance étrangère hostile (dans son esprit : l'Allemagne) devait prendre le contrôle du territoire canadien, cela constituerait une menace, dit-il lors d'une allocution à Kingston[196]. Le premier ministre William Mackenzie King reçoit le message cinq sur cinq. Le Canada, répond-il, prendra tous les moyens afin « que nulle force ennemie ne puisse attaquer les États-Unis par terre, par mer ou par air, en passant par le territoire canadien[197] ».

À l'époque, ce que les spécialistes appellent le « serment de Kingston » donne naissance à l'alliance militaire canado-américaine. On peut dire que cette alliance s'établit le plus naturellement du monde. La géographie, les liens politiques et culturels, une langue commune, le partage de certaines valeurs la déterminent. L'osmose entre les deux pays devient la source d'un incroyable réseau d'ententes, de traités, d'accords et de liens

---

196. Nossal *et al.*, *op. cit.*, p. 61.
197. *Ibid.*, p. 62.

militaires officiels unique au monde. Les relations militaires vont aussi au-delà du cadre officiel. Elles couvrent l'industrie civile, les universités, des institutions privées.

Au fil des ans, le Canada et les États-Unis tissent des liens militaires de plus en plus serrés à travers des instances de discussions et de collaboration. Le ministère canadien de la Défense et le Pentagone multiplient les accords allant de l'échange d'informations météorologiques au déploiement de bombes atomiques. Les officiers canadiens prennent dorénavant la route des grandes écoles et des centres de formation militaires américains afin de terminer leurs études. Avec le temps, ils intègrent des unités militaires dans le cadre de programmes d'échanges d'officiers.

Ottawa et Washington signent un accord sur le partage du développement et de la production du matériel de défense qui intègre plus étroitement encore les industries militaires des deux pays. Plusieurs autres accords permettent aux États-Unis de tester de nouvelles armes en sol canadien. Enfin, la création en 1957 du Commandement de la défense aérospatiale de l'Amérique du Nord (NORAD) afin de faire face à la menace nucléaire aérienne (bombardiers et missiles balistiques) de l'Union soviétique couronne l'édifice militaire canado-américain. Ainsi, l'ensemble du continent « est désormais considéré comme un seul territoire et que les forces aériennes des deux pays sont placées sous un commandement unifié[198] ». Le commandant du NORAD est toujours un général américain secondé d'un général canadien.

La relation de sécurité prend un nouveau tournant au lendemain des attentats du 11 septembre 2001. Les Américains exigent

---

198. *Ibid.*, p. 64.

une révision complète des mesures de sécurité entourant le continent nord-américain. Ils veulent en particulier renforcer la frontière avec le Canada qu'ils trouvent trop poreuse. Si aucun des dix-neuf terroristes d'origine proche-orientale responsables des attentats ne traverse cette frontière pour commettre leur crime, deux ans auparavant, un terroriste d'origine algérienne habitant à Montréal prend le traversier de la Colombie-Britannique à l'État de Washington dans le but de poser une bombe à l'aéroport de Los Angeles. Démasqué, il est arrêté par les douaniers américains au moment où il tente de fuir. La menace terroriste entraîne les deux pays à négocier plusieurs accords visant à renforcer les contrôles aux frontières, dans les aéroports et les ports.

Comme le rappellent plusieurs spécialistes, le serment de Kingston a des conséquences pour le Canada[199]. Si ce dernier ne peut faire sa part pour la sécurité de l'Amérique du Nord, les Américains vont s'en charger. Et cela a aussi des implications sur la scène internationale. Les leaders du réseau al-Qaida, responsable des attentats du 11 septembre, se trouvent en Afghanistan, et les États-Unis les ciblent. Tant par intérêt que par conviction, le Canada s'engage rapidement dans l'intervention multinationale en Afghanistan.

· · ·

Si la relation de sécurité avec les États-Unis demeure pratiquement sans nuage depuis une quinzaine d'années, l'élection de Trump risque d'entraîner le Canada dans une zone de turbulences. Le président ne remet pas en cause l'intégration militaire nord-américaine, car celle-ci sert les intérêts fondamentaux des États-Unis. Là n'est pas le problème. C'est la vision du monde

---

199. *Ibid.*, p. 62.

du président qui entre en conflit avec celle du Canada. Trump déstabilise les fondements mêmes de l'ordre libéral international si cher aux Canadiens. Il attaque l'OTAN, sape le fonctionnement des organisations internationales en se retirant de l'Unesco et en réduisant son financement à l'ONU, menace d'incinérer la Corée du Nord, quitte l'Accord de Paris sur les changements climatiques et refuse systématiquement de critiquer la Russie pourtant coupable d'avoir violé les principes mêmes du droit international en annexant la Crimée.

Cette remise en question de l'ordre mondial par le président américain place le Canada devant un dilemme. Ou il s'aligne sur les positions américaines et perd toute indépendance, ou il mène un combat de chaque instant en faveur de l'ordre actuel au risque d'un affrontement avec son seul et unique véritable partenaire sur la scène internationale.

Car c'est bien là la réalité : la dépendance du Canada envers son voisin du sud ne cesse de croître au fur et à mesure où, à Ottawa et ailleurs au pays, les élites politiques, économiques et militaires voient la relation avec les États-Unis comme étant la seule à produire des bénéfices et à assurer la sécurité nationale. Les experts de la politique étrangère canadienne sont formels : depuis le serment de Kingston, « les Canadiens doivent donc articuler leurs politiques de sécurité non seulement en fonction des menaces dirigées contre eux (si tant est qu'il y en ait), mais aussi de celles qui pèsent sur les États-Unis. Bref [...], les Canadiens doivent désormais accepter la définition de la menace et des moyens de s'en prémunir élaborés par Washington, même s'ils n'y croient pas[200] ». Avec Trump, ce constat prend un relief encore plus inquiétant.

---

200. *Ibid.*, p. 62.

Est-il possible de desserrer cette étreinte américaine, d'éviter le dilemme qui forcerait le Canada à choisir entre les États-Unis et le reste du monde ?

Chrystia Freeland pense trouver la solution. Le 6 juin 2017, elle prononce un discours devant la Chambre des communes[201]. Le gouvernement présente l'allocution comme sa déclaration de politique étrangère, une déclaration qui arrive presque deux ans après l'élection du Parti libéral. Le texte, malgré sa prétention à couvrir l'ensemble des relations internationales du Canada, se concentre sur les liens avec les États-Unis. Freeland met un soin particulier à éviter de trop critiquer les Américains. D'ailleurs, la veille de son discours, elle téléphone à son homologue américain Rex Tillerson pour en discuter, un fait peu connu du public.

La ministre prononce son discours une semaine après la décision de Washington de se retirer de l'Accord de Paris sur les changements climatiques. L'opinion publique mondiale s'indigne, au point où le président français Emmanuel Macron, gardien de l'accord, s'adresse en anglais aux Américains pour dénoncer cette décision.

Freeland prend acte de cette décision qui fait suite à toute une série d'événements qui ébranlent l'ordre mondial. « Des relations internationales qui semblaient immuables depuis les soixante-dix dernières années sont maintenant remises en question, déclare-t-elle aux députés. De l'Europe à l'Asie jusqu'à notre propre demeure en Amérique du Nord, des pactes de longue durée qui ont constitué la pierre angulaire de notre sécurité et de notre prospérité depuis des générations sont mis à l'épreuve », poursuit-elle en pensant à l'annexion de la Crimée, au terrorisme

---

201. Discours de la ministre des Affaires étrangères, 6 juin 2017.

islamiste, aux convoitises chinoises en mer de Chine. Ces événements obligent le Canada à «réfléchir soigneusement et longuement sur ce qui se passe et à tracer la voie à suivre».

Pour la ministre, le plus troublant est ce qui se déroule chez notre voisin du sud. Le Canada, poursuit-elle, remercie les États-Unis pour sa contribution considérable à l'ordre mondial. «L'Amérique a payé la part du lion, en sang, en trésor, en vision stratégique et en leadership» pour assurer cette stabilité. Et le Canada en profite depuis sept décennies. Mais, récemment, de nombreux électeurs américains «ont voté en étant en partie animés par le désir de se libérer du fardeau de chef de file mondial». Nous respectons ce choix, affirme-t-elle. Cependant, cette nouvelle orientation force le Canada à s'adapter. «Le fait que notre ami et allié met en doute la valeur de son leadership mondial fait ressortir plus nettement le besoin pour le reste d'entre nous d'établir clairement notre propre orientation souverainiste», lance-t-elle sous les applaudissements d'une partie des députés. Et cette orientation «doit consister à renouveler, en fait à renforcer, l'ordre multilatéral de l'après-guerre».

Freeland dresse un constat très juste de la situation du Canada par rapport aux États-Unis, mais tout ce qu'elle offre afin de s'adapter à la nouvelle réalité américaine est une posture plus «souverainiste». Nulle part dans son discours ne détaille-t-elle cette nouvelle stratégie. Elle énumère plutôt une série de principes, mais reste silencieuse sur les moyens concrets de les mettre en œuvre.

Les mots et les images ne peuvent remplacer les idées et les actions. Freeland sait très bien que le Canada est «prisonnier» de sa relation avec les États-Unis. Prononcer des discours pour s'attirer des applaudissements ne fera pas disparaître cette dure réalité.

Épilogue

Après son élection en octobre 2015, Justin Trudeau avait toute la latitude pour mettre en œuvre un programme de politique étrangère riche et original. Ce programme renouait avec la grande tradition d'activisme diplomatique qui caractérisait la politique étrangère canadienne jusqu'à l'élection des conservateurs en 2006 tout en tenant compte des nouvelles réalités géopolitiques. Qu'en a-t-il fait? À mi-chemin de son mandat, la question est des plus pertinentes. Elle l'est d'autant plus que son ancien conseiller diplomatique, Roland Paris, a osé tirer un premier coup de semonce.

Sur son blogue de l'Université d'Ottawa, Paris s'est demandé à quel moment le premier ministre « convertira sa célébrité mondiale en action[202] ». Trudeau a aujourd'hui l'occasion d'imprimer sa marque sur la politique internationale, écrit Paris, « d'exercer son influence sur des questions précises, et d'utiliser la réputation dont il jouit dans le monde pour mobiliser l'opinion internationale ». L'expert en relations internationales est bien conscient du caractère éphémère d'une situation donnée. Il ne faut pas laisser passer une occasion. « Peu importe la cause que choisit Trudeau,

---

202. Roland Paris, « When and How Will Trudeau Convert His Global Celebrity into Action? », 5 août 2017 (notre traduction).

ce serait dommage qu'il ne mette pas à profit tout son "capital politique mondial" pendant qu'il en a encore [...]. D'autres premiers ministres canadiens ont accompli de grandes choses tout en jouissant d'une visibilité internationale beaucoup moins importante.»

En effet, au cours des cinquante dernières années, tous les premiers ministres ont marqué les relations internationales du Canada par des décisions audacieuses ou controversées, et souvent dès les premières années de leur mandat.

Pierre Elliott Trudeau a reconnu la Chine communiste, s'est rapproché des pays du Sud et s'est lancé dans une campagne pour la réduction des armes nucléaires. Brian Mulroney a négocié le traité de libre-échange avec les États-Unis, animé la campagne mondiale contre l'apartheid en Afrique du Sud et, avec le président français François Mitterrand, créé la Francophonie. Jean Chrétien a adopté une nouvelle philosophie – la sécurité humaine – qui a entraîné la signature de la Convention d'Ottawa sur l'interdiction des mines antipersonnel et la création de la Cour pénale internationale. Il a dit non à la participation du Canada à la guerre contre l'Irak. Stephen Harper a lancé l'Initiative pour la santé des mères, des nouveau-nés et des enfants dans les pays en développement et engagé les négociations sur les traités de libre-échange avec l'Europe et les États de l'Asie-Pacifique, et celles sur l'Accord de Paris sur les changements climatiques.

Trudeau n'a lancé à ce jour aucune initiative internationale d'envergure. Maintenant qu'il s'est renié sur une bonne partie des propositions contenues dans le programme du Parti libéral, comment compte-t-il générer les idées qui permettront à son gouvernement de faire sa marque sur la scène mondiale? Stéphane Dion avait l'énergie et les idées, mais il n'avait pas la confiance du premier ministre. Chrystia Freeland est censée pallier ce déficit. Or, la lecture de son discours de politique étrangère du 6 juin 2017 déçoit.

Freeland ouvre son allocution sur une question : « Le Canada est-il un pays essentiel à ce moment dans la vie de notre planète[203] ? » Elle y répond en rappelant tout ce que le Canada a fait pour construire l'ordre international dans lequel nous vivons et qui assure notre prospérité et notre sécurité. « Le Canada croit fermement que l'ordre international actuel, qui est stable et prévisible, est dans son plus grand intérêt national », dit-elle. Sans doute cet ordre est-il bénéfique pour le Canada, mais il n'est stable qu'en apparence. Il est de plus en plus contesté dans ses principes, dans ses institutions et dans ses procédures[204].

Le retour de la compétition et des rapports de forces entre les États ébranle cet ordre et rappelle la fragilité des institutions internationales. Ces phénomènes fragmentent le pouvoir et donnent lentement naissance à un monde ordonné autour de centres d'influence régionaux au profit d'une grande puissance. Le droit international est de plus en plus bafoué par ceux-là mêmes (les États-Unis en Irak, la Russie en Ukraine, la Chine en mer de Chine méridionale) censés en être les gardiens. Des puissances émergentes, comme la Chine, le Brésil et l'Inde, affirment leurs ambitions et cherchent à réécrire les règles du jeu, tant géopolitiques que financières et commerciales, établies par les vainqueurs au lendemain de la Seconde Guerre mondiale. D'autres États, dont la Russie, mais aussi certains membres de l'Union européenne et de l'OTAN, comme la Turquie, la

---

203. Chrystia Freeland, *op. cit.*

204. Serge Sur, « Une société internationale en quête de repères », *Questions internationales*, n°s 85-86, mai-août 2017, p. 4-11.

Pologne et la Hongrie, remettent en cause le caractère libéral de cet ordre et n'hésitent pas à promouvoir une gouvernance autoritaire. Même les États-Unis sont touchés par cet ébranlement, et Donald Trump en est un des symptômes. Or, la seule réponse que la ministre offre à ce vent de contestation est la détermination du Canada à combattre bec et ongles pour le maintien et le renforcement de cet ordre. Ce serait là le caractère essentiel du Canada sur la scène internationale.

Défendre un ordre international qui a tant profité au Canada est une noble cause. Encore faut-il que cette défense n'apparaisse pas comme un combat d'arrière-garde. Le discours de Freeland en a toutes les apparences. À aucun moment, la ministre ne cherche à expliquer pourquoi cet ordre est à ce point contesté. Mettre en relief les causes profondes de cette contestation et tenter d'y remédier seraient une façon plus originale pour le Canada de contribuer à bâtir un ordre mondial reflétant les nouvelles réalités internationales que de s'accrocher à l'ancien.

À défaut de lire le monde comme il est en train d'advenir, Trudeau et Freeland pensent le monde comme il devrait être. Cela était sans doute possible au lendemain de la Seconde Guerre mondiale, alors que tout était à reconstruire. Ce n'est plus le cas aujourd'hui. Et chaque jour qui passe révèle le poids décroissant du Canada dans le monde. Son appartenance au G7, par exemple, est un écran de fumée masquant qu'il n'est plus une des sept puissances économiques du monde, mais bien la dixième, et que, dès 2019, la Corée du Sud lui ravira cette place.

À défaut d'être une puissance économique et militaire de grande importance, le Canada est-il au moins une puissance d'influence qui le rendrait essentiel de par son modèle de gouvernance, ses idées, ses valeurs ? Mme Freeland le croit. « Il y a de cela soixante-dix ans, le Canada a joué un rôle de premier plan dans la mise en place d'un ordre mondial d'après-guerre, dit-elle aux députés. Et maintenant, notre expérience, expertise, géographie et diversité ainsi que nos valeurs font en sorte que nous sommes appelés à jouer de nouveau un rôle semblable dans ce siècle [...]. » Cela reste à voir, car l'époque n'est plus la même. Et au vu des décisions du gouvernement de réduire l'aide au développement, de refuser de participer aux opérations de paix et de geler le budget de sa diplomatie, cette profession de foi ressemble plus à une formule de rhétorique qu'à la mise à disposition de véritables moyens dont le Canada userait pour jouer ce rôle.

Une chose demeure certaine cependant : ce n'est pas en répétant des slogans sur les bienfaits du *statu quo* et en restant passif devant le monde que le Canada se rendra essentiel.

Remerciements

Ce livre est dédié à Elaine Potvin, une amie de toujours. Elle est aussi ma collaboratrice assidue depuis une vingtaine d'années. Je lui dois beaucoup. Je veux la remercier d'avoir relu ce manuscrit et de m'avoir suggéré de nombreux changements afin d'enrichir le texte et de le rendre plus accessible aux non-spécialistes.

Mes remerciements vont également à toute l'équipe de Québec Amérique. En particulier, j'aimerais souligner l'enthousiasme avec lequel Martine Podesto a cru en cet ouvrage dès les premières minutes de notre rencontre. Je salue le travail d'édition et de relecture d'Éric St-Pierre. Ses commentaires et ses critiques m'ont permis de recentrer mon propos et de préciser ma pensée.

Le caricaturiste Serge Chapleau a produit la splendide illustration de couverture. Je le remercie de tout cœur pour sa contribution.

Lors de la rédaction de ce livre, j'ai eu la chance de bénéficier des connaissances et des opinions de nombreuses personnes. Certaines ont préféré garder l'anonymat. Je peux toutefois remercier Yvan Cliche et Jean-François Caron, politologues, pour avoir relu une partie du texte, et l'ex-ambassadeur Christopher Westdal pour ses conseils sur l'Ukraine et la Russie.

Enfin, si ce livre a vu le jour, je le dois en grande partie à Justin Trudeau et Stéphane Dion. Ils m'ont permis de me joindre à leur équipe de conseillers et de participer à la définition de certains éléments de la politique étrangère du gouvernement libéral. Je les en remercie, mais il est entendu qu'ils ne portent aucune responsabilité pour les opinions exprimées et les faits exposés dans cet ouvrage.

Bibliographie

« 46 per cent of Canadian's negative toward Israeli gov't: poll », *Canadian Jewish News*, 22 février 2017.

James Appathurai et Ralph Lysyshyn, « Lessons Learned from the Zaïre Mission », *Canadian Foreign Policy*, vol. 5, n° 2, hiver 1998.

« A return to multilateralism: Meet Roland Paris, the man behind Justin Trudeau's foreign policy", *National Post*, 29 décembre 2015.

Mike Blanchfield, "You'll face consequences from Canada if you take Israel to International Criminal Court: Baird to Palestinians", *National Post*, 6 mars 2013.

Mike Blanchfield, *Swingback: getting along in the world with Harper and Trudeau*, McGill-Queen's University Press, 2017.

Hélène Buzzetti, « Confusion autour de l'appui américain », *Le Devoir*, 16 octobre 2010.

Michael Byers, « Toward a Canada-Russia Axis in the Arctic », *Global Brief*, hiver 2012.

« Canada should not penalize the Palestinians », *The Globe and Mail*, 30 novembre 2012.

Huhua Cao et Vivienne Poy, *The China Challenge: Sino-Canadian Relations in the 21st Century*, University of Ottawa Press, 2011.

Jean-François Caron, *Affirmation identitaire du Canada. Politique étrangère et nationalisme*, Athéna éditions, 2014.

Changer ensemble, Parti libéral du Canada, 2015.

Andrea Charron, Joël Plouffe et Stéphane Roussel, « The Russian Arctic hegemon: Foreign policy implications for Canada », *Canadian Foreign Policy Journal*, vol. 18, n° 1, 2012.

Steven Chase, « Dion adviser critical of Saudi arms deals », *The Globe and Mail*, 28 mars 2016.

Steven Chase, « Arctic conference draws concern from Ukraine », *The Globe and Mail*, 4 octobre 2016.

Bruce Cheadle, « Trudeau says image-making part of governing, not a popularity contest », *The Canadian Press*, 17 décembre 2015.

Jean Chrétien, *Passion politique*, Éditions du Boréal, 2007.

Joe Clark, *How We Lead. Canada in a Century of Change*, Random House Canada, 2013.

Andrew Cohen, *Lester B. Pearson*, Penguin Canada, 2008.

Conseil canadien pour la coopération internationale, *Réalisation des ambitions du Canada : soutien au développement international dans le budget 2018*, octobre 2017.

Jocelyn Coulon, *Les Casques bleus*, Éditions Fides, 1994.

Jocelyn Coulon, « Une autre guerre de Trente Ans ? », *La Presse*, 10 janvier 2016.

CTV News Staff, « Did the U.S. snub Canada at the UN vote? », 14 octobre 2010.

Linda Diebel, *Stéphane Dion à contre-courant*, Les Éditions de l'Homme, 2007.

Paul Evans, « Dancing with the Dragon », *Literary Review of Canada*, avril 2013.

Joe Friesen, « The "Smiling Buddha" and his multicultural charms », *The Globe and Mail*, 29 janvier 2010.

Francis Fukuyama, « Guidelines for Future Nation-Builders », dans *Nation-Building. Beyond Afghanistan and Iraq*, Francis Fukuyama (ed.), The Johns Hopkins University Press, 2006.

Lysiane Gagnon, « Le Jeune et la Chine », *La Presse*, 14 novembre 2013.

Eddie Goldenberg, *Comment ça marche à Ottawa*, Éditions Fides, 2007.

Jack L. Granatstein et Robert Bothwell, *Pirouette. Pierre Trudeau and Canadian Foreign Policy*, University of Toronto Press, 1990.

Graeme Hamilton, « Riding war rages over Jewish state: Mount Royal », *Edmonton Journal*, 2 octobre 2015.

Stephen Harper et Stockwell Day, « Canadians Stand with You », *Wall Street Journal*, 28 mars 2003.

« Harper roars but lacks bite on Trade », *Toronto Star*, 9 septembre 2005.

Ivan Head et Pierre Trudeau, *The Canadian Way. Shaping Canada's Foreign Policy, 1968-1984*, McClelland & Stewart, 1995.

Jacques Hébert et Pierre Trudeau, *Two Innocents in Red China*, Douglas & McIntyre, 1968 (2007 pour la présente édition).

Jacques Hébert et Pierre Elliott Trudeau, *Deux innocents en Chine rouge*, Les Éditions de L'Homme, 2007.

Oksana Bashuk Hepburn, « Canada should do more for Ukraine », *The Hill Times*, 10 août 2016.

Diana Juricevic, « Playing the Rights Card », *Literary Review of Canada*, décembre 2012.

Patrick Martin, « Diverse Jewish views come to the fore: Despite the Tories' realignment of the political landscape in 2006, Liberals and NDP are back as kosher options for many », *The Globe and Mail*, 7 octobre 2015.

Ministère de la Défense nationale, *Défis et Engagements. Une politique de défense pour le Canada*, Gouvernement du Canada, 1987.

Ministère de la Défense nationale, *Livre blanc de 1994*, Gouvernement du Canada, 1994.

Ministère des Affaires extérieures, *Politique étrangère au service des Canadiens, section Europe*, Gouvernement du Canada, 1970.

David Morin, « Le côté obscur de la force: l'unité nationale, victime collatérale de la "nation guerrière" de Stephen Harper ? », *Études internationales*, vol. 44, n° 3, 2013.

Brian Mulroney, *Mémoires*, Les Éditions de l'Homme, 2007.

David Mulroney, *Middle power, Middle kingdom: What Canadians need to know about China in the 21st century*, Allen Lane, 2015.

Costanza Musu, « Canada and the MENA region: The foreign policy of a middle power », *Canadian Foreign Policy Journal*, vol. 1, n° 18, 2012.

Kim Richard Nossal, Stéphane Roussel, Stéphane Paquin, *Politique internationale et défense au Canada et au Québec*, Les Presses de l'Université de Montréal, 2007.

Roland Paris, « Baird's silence on abuses in Bahrain exposes Canada's inconsistency », *The Globe and Mail*, 5 avril 2013.

Roland Paris, « Canada's decade of diplomatic darkness », *The Globe and Mail*, 24 septembre 2014.

Roland Paris, « Are Canadians still liberal internationalists? Foreign policy and public opinion in the Harper era », *International Journal*, vol. 69 (3), 2014.

Roland Paris, « Time to Make Ourselves Useful », *Literary Review of Canada*, mars 2015.

Roland Paris, « When and How Will Trudeau Convert His Global Celebrity into Action? », blogue de l'Université d'Ottawa, 5 août 2017.

Parti libéral du Canada, *Lettre à Michèle Asselin, directrice générale de l'AQOCI*, 9 octobre 2015.

Geoffrey A. H. Pearson, *Seize the Day, Lester B. Pearson and Crisis Diplomacy*, Carleton University Press, 1993.

Steven Seligman, « Canada and the United Nations General Assembly (1994-2015): continuity and change under the Liberals and Conservatives », *Canadian Foreign Policy Journal*, vol. 22, n° 3, 2016.

Marc Semo, « Laurent Fabius, pédagogue de la diplomatie hollandiste », *Le Monde*, 17 novembre 2016.

Jeffrey Simpson, « Truculent moralizing for a domestic audience », *The Globe and Mail*, 4 février 2012.

Janice Gross Stein et Eugene Lang, *The Unexpected War. Canada in Kandahar*, Viking Canada, 2007.

Irvin Studin, « Canada's Four-Point Game. Part II », *Global Brief*, hiver 2018.

Serge Sur, « Une société internationale en quête de repères », *Questions internationales*, nos 85-86, mai-août 2017.

Alexandre Trudeau, *Un barbare en Chine nouvelle*, Éditions du Boréal, 2016.

Justin Trudeau, « Why CNOOC-Nexen deal is good for Canada », *Edmonton Journal*, 19 novembre 2012.

Justin Trudeau, *Terrain d'entente*, Éditions La Presse, 2014.

« Trudeau announces bid for seat on UN Security Council », *National Post*, 16 mars 2016.

Pierre Elliott Trudeau, « Pearson ou l'abdication de l'esprit », *Cité libre*, avril 1963.

Dominique de Villepin, *Mémoire de paix pour temps de guerre*, Éditions Grasset, 2016.

Max Weber, *Le savant et le politique*, Éditions 10/18, 2002.

Kenneth Whyte, « In conversation: Stephen Harper », *Maclean's*, 5 juillet 2011.

« Won't 'sell out' on rights despite China snub: PM », CBC, 15 novembre 2006.

Huguette Young, *L'héritier*, VLB Éditeur, 2015.

Table des matières

Index des noms propres